전면 개정판

독해의 확실한 해결책

THIS IS READING

1

THIS IS READING 전면 개정판 1

지은이 넥서스영어교육연구소
펴낸이 임상진
펴낸곳 (주)넥서스

출판신고 1992년 4월 3일 제311-2002-2호 2-16
10880 경기도 파주시 지목로 5
Tel (02)330-5500 Fax (02)330-5555

ISBN 979-11-5752-769-4 54740
979-11-5752-768-7 (SET)

전면 개정판

THIS IS READING 1

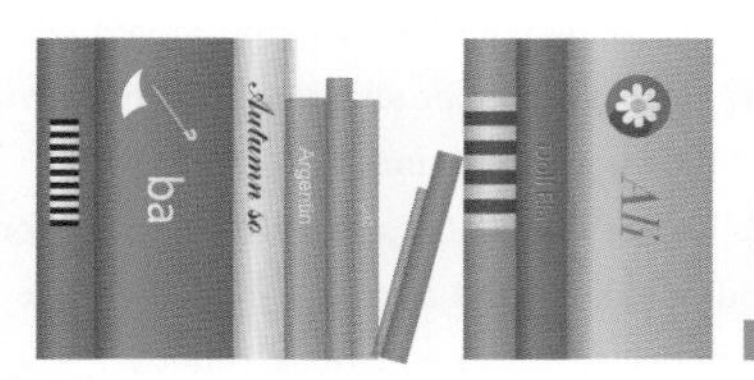

독해의
확실한 해결책

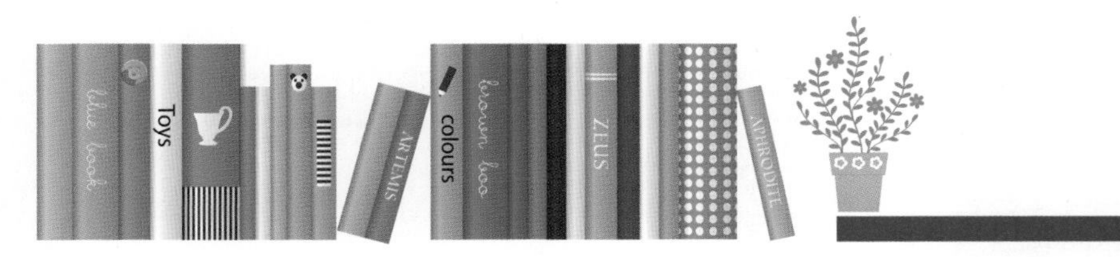

넥서스영어교육연구소 지음

NEXUS Edu

완전 새로운 전면 개정판 소개

1

누구나 관심 있고 흥미로운 소재의 다양한 지문을 실었습니다.

2

QR 코드를 스캔만 하면 책 전체 모든 지문을 생생한 원어민의 발음으로 들을 수 있습니다.

3

지문을 읽을 때 그때그때 꼭 알아야 할 필수 문법을 예문과 함께 정리했습니다. 학교 내신 대비뿐만 아니라 모든 문법 문제에 자신감을 키워 주는 필수 문법입니다.

01 Hungry World

Famine happens when many people suddenly don't have enough food. It gets attention and emergency aid. But hunger is always present in the world. Millions of people are constantly hungry and receive little attention. (A) Hunger is an invisible condition caused by ________. Poor people need money to buy food. Or they need to grow their own food. And they need food to be available. (B)

Some fight hunger by helping poor farmers grow more food. Simple methods can sometimes increase farm production. (C) Poor areas have more food if women can farm and raise animals. (D)

Many hungry people live in countries that have enough food. (E) So storing food in food banks is good during a food shortage. About one-third of all food is not eaten because the food is not available.

Grammar Note

4행 : 현재분사와 과거분사
분사는 [동사원형+-ing/-ed]의 형태로 형용사처럼 명사를 수식함. 현재분사(-ing)는 명사가 동작을 능동적으로 하는 것이고, 과거분사(-ed)는 명사가 동작을 당하는 것. 분사가 길 경우, 뒤에서 명사를 수식함.

Look at the sleeping baby.
자고 있는 아기를 봐.

I found the ball lost in the park.
나는 공원에서 잃어버린 공을 찾았다.

7행 : 수단을 나타내는 전치사 by
by는 수단(~으로, ~을 함으로써)의 의미가 있음.

I go to school by bus.
나는 버스로 등교한다.

He earns his living by driving a taxi.
그는 택시를 운전해서 먹고 살 돈을 번다.

10

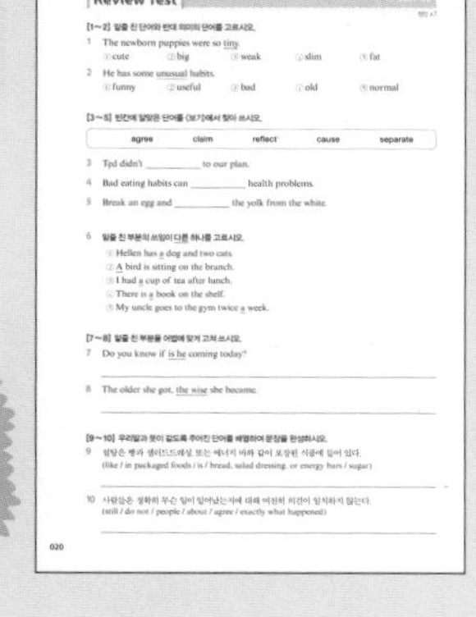

Review Test

4개의 지문으로 이루어져 있는 각 UNIT이 끝날 때마다 문법, 어휘, 문장 배열 등 다양한 10개의 문제를 풀면서 한 번 더 복습합니다.

정답 p.2

1 이 글의 요지로 가장 알맞은 것은?

① 기아는 일부 국가에 한정된 문제이다.
② 기아는 기본적인 조치들로는 해결하기 어렵다.
③ 기아에 대한 세계적인 관심이 필요한 때이다.
④ 기아 문제는 심각하지만 해결할 수 있는 방법들이 있다.
⑤ 기아의 근본적인 원인은 식량을 저장하지 않기 때문이다.

2 이 글의 빈칸에 들어갈 말로 가장 알맞은 것은?

① country ② poverty
③ wealth ④ money
⑤ war

3 다음 문장이 들어가기에 가장 알맞은 곳은?

> But those people cannot get this food because there are no roads.

① (A) ② (B)
③ (C) ④ (D)
⑤ (E)

4 다음 중 푸드 뱅크에 대한 내용과 일치하는 것은?

① 푸드 뱅크는 선진국에만 있다.
② 흉작에 푸드 뱅크는 유용하게 사용된다.
③ 각 지역 사회는 자신들의 푸드 뱅크를 책임진다.
④ 푸드 뱅크는 세계 대부분의 기아를 끝낼 수 있다.
⑤ 전 세계 푸드 뱅크의 1/3정도만 이용되고 있다.

WORDS

famine [fǽmin] 명 기아, 기근
suddenly [sʌ́dnli] 부 갑자기, 느닷없이
attention [ətènʃən] 명 관심, 주의
emergency aid 긴급 지원
hunger [hʌ́ŋgər] 명 굶주림
present [prézənt] 형 존재하는
constantly [kɑ́nstəntli] 부 끊임없이, 변함없이
receive [risíːv] 동 ~을 받다
invisible [invízəbl] 형 보이지 않는
condition [kəndíʃən] 명 상태, 상황
grow [grou] 동 ~을 기르다, 재배하다
available [əvéiləbl] 형 이용할 수 있는
method [méθəd] 명 방법, 방식
increase [inkríːs] 동 증가시키다, 늘리다
production [prədʌ́kʃən] 명 생산, 산출
area [ɛ́əriə] 명 지역
store [stɔːr] 동 저장하다, 비축하다
shortage [ʃɔ́ːrtidʒ] 명 부족, 결핍

직독직해

Famine happens / when people suddenly don't have / enough food.

Some fight hunger / by helping poor farmers / grow more food.

Many hungry people / live in countries / that have enough food.

01 Hungry World 11

4

지문을 잘 이해했는지 확인하는
4문제로 지문에 따라 객관식, 주관식
다양하게 출제했습니다.

5

지문에 등장한 주요 어휘를 꼼꼼하게
정리했습니다.

6

문장을 의역하지 않고
바로바로 해석하는 훈련을
할 수 있습니다.

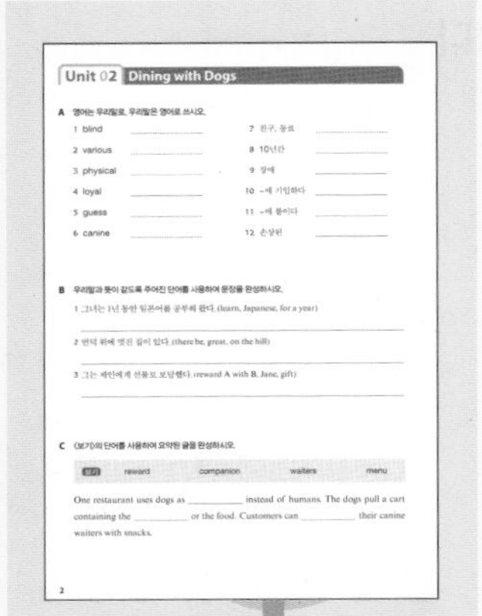
Unit 02 Dining with Dogs

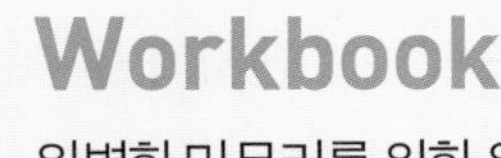

완벽한 마무리를 위한 워크북.
지문 요약, 단어 확인, 통문장 영작 문제를
풀면서 실력을 다집니다.

Contents

UNIT
09

UNIT
10

01 UNIT

01 Hungry World

Famine happens when many people suddenly don't have enough food. It gets attention and emergency aid. But hunger is always present in the world. Millions of people are constantly hungry and receive little attention. (A) Hunger is an invisible condition caused by _________. Poor people need money to buy food. Or they need to grow their own food. And they need food to be available. (B)

Some fight hunger by helping poor farmers grow more food. Simple methods can sometimes increase farm production. (C) Poor areas have more food if women can farm and raise animals. (D)

Many hungry people live in countries that have enough food. (E) So storing food in food banks is good during a food shortage. About one-third of all food is not eaten because the food is not available.

Grammar Note

4행 : 현재분사와 과거분사

분사는 [동사원형+-ing/-ed]의 형태로 형용사처럼 명사를 수식함. 현재분사(-ing)는 명사가 동작을 능동적으로 하는 것이고, 과거분사(-ed)는 명사가 동작을 당하는 것. 분사가 길 경우, 뒤에서 명사를 수식함.

Look at the **sleeping** baby.
자고 있는 아기를 봐.

I found the ball **lost** in the park.
나는 공원에서 잃어버린 공을 찾았다.

7행 : 수단을 나타내는 전치사 by

by는 수단(~으로, ~을 함으로써)의 의미가 있음.

I go to school **by** bus.
나는 버스로 등교한다.

He earns his living **by** driving a taxi.
그는 택시를 운전해서 먹고 살 돈을 번다.

정답 p.2

1 이 글의 요지로 가장 알맞은 것은?

① 기아는 일부 국가에 한정된 문제이다.
② 기아는 기본적인 조치들로는 해결하기 어렵다.
③ 기아에 대한 세계적인 관심이 필요한 때이다.
④ 기아 문제는 심각하지만 해결할 수 있는 방법들이 있다.
⑤ 기아의 근본적인 원인은 식량을 저장하지 않기 때문이다.

2 이 글의 빈칸에 들어갈 말로 가장 알맞은 것은?

① country ② poverty
③ wealth ④ money
⑤ war

3 다음 문장이 들어가기에 가장 알맞은 곳은?

> But those people cannot get this food because there are no roads.

① (A) ② (B)
③ (C) ④ (D)
⑤ (E)

4 다음 중 푸드 뱅크에 대한 내용과 일치하는 것은?

① 푸드 뱅크는 선진국에만 있다.
② 흉작에 푸드 뱅크는 유용하게 사용된다.
③ 각 지역 사회는 자신들의 푸드 뱅크를 책임진다.
④ 푸드 뱅크는 세계 대부분의 기아를 끝낼 수 있다.
⑤ 전 세계 푸드 뱅크의 1/3정도만 이용되고 있다.

WORDS

famine [fǽmin] 명 기아, 기근
suddenly [sʌ́dnli] 부 갑자기, 느닷없이
attention [ətènʃʌ́n] 명 관심, 주의
emergency aid 긴급 지원
hunger [hʌ́ŋgər] 명 굶주림
present [prézənt] 형 존재하는
constantly [kɑ́nstəntli] 부 끊임없이, 변함없이
receive [risíːv] 동 ~을 받다
invisible [invízəbl] 형 보이지 않는
condition [kəndíʃən] 명 상태, 상황
grow [grou] 동 ~을 기르다, 재배하다
available [əvéiləbl] 형 이용할 수 있는
method [méθəd] 명 방법, 방식
increase [inkríːs] 동 증가시키다, 늘리다
production [prədʌ́kʃən] 명 생산, 산출
area [ɛ́əriə] 명 지역
store [stɔːr] 동 저장하다, 비축하다
shortage [ʃɔ́ːrtidʒ] 명 부족, 결핍

직독직해

Famine happens / when people suddenly don't have / enough food.

Some fight hunger / by helping poor farmers / grow more food.

Many hungry people / live in countries / that have enough food.

02 Singapore Night Safari

The Singapore Zoo has a night safari every night of the week. Most safaris happen in places where animals are in the wild, and people have to travel for a long time to try to see them. Sometimes, people go on safaris and don't get to see any animals.

But because the Singapore night safari happens at a zoo, people always see amazing animals when they go. During the day, most of these animals sleep, so you can't see them hunting or playing. At night, however, these animals have lots of energy. They hunt for food, play with friends, and do other very interesting things. At the night safari, you can walk or take a special train. The train takes you to places you can't get to on foot. If you are looking for an exciting zoo, try the night safari at the Singapore Zoo. You won't regret it!

Grammar Note

11행 : 지각동사의 목적보어

지각동사에는 feel, see, hear, listen to, smell, watch 등이 있고, 목적보어로 동사원형이나 현재분사를 취함.

I saw a helicopter flying.
나는 헬리콥터가 날아가는 것을 보았다.

I heard someone knock on the door.
나는 누군가 문을 두드리는 것을 들었다.

14행 : 목적격 관계대명사의 생략

목적어 역할을 하는 목적격 관계대명사에는 who(m), which, that이 있으며 생략할 수 있음.

That is the man (who) I met at the party.
저 사람이 내가 파티에서 만난 남자이다.

UCLA is the college (that) I went to.
UCLA는 내가 다녔던 학교이다.

정답 p.2

1 **이 글의 주제로 가장 알맞은 것은?**

① the features of Singaporean tourists
② a zoo in Singapore that can be visited at night
③ people who hate animals to come out at night
④ how to go to the Singapore zoo
⑤ wild animals that only live in Singapore

2 **이 글의 내용과 일치하지 않는 것은?**

① 싱가포르 동물원은 사파리를 운영하고 있다.
② 싱가포르 동물원의 사파리 동물들은 밤에 활동적이다.
③ 대부분 사파리들의 동물들은 야생지역에서 생활한다.
④ 싱가포르 동물원의 사파리에서는 기차로만 이동해야 한다.
⑤ 싱가포르 동물원은 매일 사파리를 개장한다.

3 **이 글의 밑줄 친 sometimes와 의미가 다른 것은?**

① at times
② all the time
③ now and then
④ once in a while
⑤ from time to time

4 **사파리의 동물들이 낮에 활동하는 것을 볼 수 없는 이유를 우리말로 쓰시오.**

____

WORDS

safari [safári] 명 사파리, 야생 동물을 구경하거나 사냥하는 여행
week [wi:k] 명 주, 일주일
happen [hǽpən] 동 발생하다
place [pleis] 명 장소
wild [waild] 명 야생
for a long time 오랫동안, 장시간
get to ~하게 되다
amazing [əméiziŋ] 형 놀라운
hunt [hʌnt] 동 사냥하다
energy [énərdʒi] 명 활기, 에너지
interesting [íntərəstiŋ] 형 재미있는, 흥미로운
take a train 기차를 타다
on foot 걸어서
look for ~을 찾다
exciting [iksáitiŋ] 형 신 나는, 흥미진진한
regret [rigrét] 동 후회하다

직독직해

The Singapore Zoo has / a night safari / every night of the week.

____

At night, / however, / these animals have / lots of energy.

____

The train takes / you / to places / you can't get to / on foot.

____

03 Fruitarians

Most people in English-speaking countries know about vegetarians and vegans, but most people have not heard of the even stricter diet called fruitarianism. (A) Fruitarians are people who have decided to eat nothing but fruit. (B) Some people are fruitarians because of religious reasons. (C) Other people are fruitarians because they think it is the healthiest way to live. (D) Because fruitarianism is a difficult diet to follow, there are not many fruitarians in the world. (E) Green tea diet may help people burn a few extra calories. Even so, there are some famous fruitarians you may have heard of. Mahatma Gandhi, the leader who helped India become an independent nation, was a fruitarian at one time. Steve Jobs, who started the Apple Computers company, was also once a fruitarian.

Many of the people who are fruitarians don't stick to this diet forever. Food scientists think this is good. Fruitarianism may be a good temporary diet, but humans still need to eat a wide variety of food in addition to fruit in order to be ________.

Grammar Note

2행 : 비교급을 강조하는 부사

형용사와 부사의 비교급을 강조할 때는 much, far, even, still, a lot 등을 사용하며, '훨씬, 더욱 ~한'이라는 의미. 원급을 강조할 때는 very를 사용.

Terry is **much** taller than me.
테리는 나보다 훨씬 키가 크다.

(X) Terry is ~~very~~ taller than me.

4, 5행 : because vs. because of

because와 because of는 둘 다 이유를 나타내지만 because 뒤에는 절이, because of 뒤에는 명사구가 나옴.

I couldn't sleep **because** they made lots of noise.
나는 그들이 시끄럽게 구는 바람에 잠을 잘 수 없었다.

I couldn't sleep **because of** the noise.
나는 소음 때문에 잠을 잘 수 없었다.

정답 p.3

1 이 글의 주제로 가장 알맞은 것은?

① 과식주의자에 관한 설명
② 채식주의자와의 비교
③ 과식주의의 부작용
④ 식이요법의 여러 단계
⑤ 건강에 좋은 생활 방식

2 (A)~(E) 중 글의 전체 흐름과 관계가 없는 것은?

① (A) ② (B)
③ (C) ④ (D)
⑤ (E)

3 과식주의자에 대한 내용과 일치하는 것은?

① 건강하지 않은 사람이 많다.
② 종교적인 생활에 소극적이다.
③ 평생 과식주의를 고수한다.
④ 인도에 가장 많은 수가 있다.
⑤ 특정 종류의 먹을거리만 섭취한다.

4 이 글의 빈칸에 들어갈 말로 가장 알맞은 것은?

① beautiful
② healthy
③ happy
④ thin
⑤ fat

WORDS

vegetarian [vèdʒitɛ́(:)əriən] 명 채식주의자
vegan [víːdʒən] 명 절대 채식주의자
strict [strikt] 형 엄격한, 엄한
diet [dáiət] 명 식이요법
fruitarianism [fruːtɛ́əriənìzm] 명 과식주의
decide [disáid] 동 결심하다
religious [rilídʒəs] 형 종교의, 종교적인
reason [ríːzən] 명 이유, 원인
follow [fálou] 동 ~의 뒤를 잇다, 따르다
burn [bəːrn] 동 태우다
extra [ékstrə] 형 여분의
leader [líːdər] 명 지도자, 선도자
independent [ìndipéndənt] 형 독립한
nation [néiʃən] 명 국가
once [wʌns] 부 이전에, 한때
stick to ~을 고수하다, ~에 충실하다
temporary [témpərèri] 형 일시적인, 임시의
a variety of 여러 가지의
in addition to ~에 더하여
in order to ~하기 위해

직독직해

Fruitarians are people / who have decided / to eat nothing but fruit.

There are / some famous fruitarians / you may have heard of.

Many people / who are fruitarians / don't stick to / this diet / forever.

---

04 A Warm Spice

The red-brown inner bark of the cinnamon tree gives us the spice we call cinnamon. People have used cinnamon to flavor meat and curry dishes for thousands of years. Traditional Chinese Medicine viewed it as having warming qualities. It was mixed into teas to relieve colds and flus.

Cassia cinnamon is grown in Indonesia, China, or Vietnam. It has a strong flavor and is widely sold at stores. The more expensive Ceylon cinnamon is mostly grown in Sri Lanka. (A) It's good for baking and flavoring coffee or hot chocolate. The smell and taste of cinnamon comes from cinnamaldehyde. (B) The oil of the cinnamon bark contains it.

When a cinnamon tree is 2 years old, growers cut the trunk short and cover it with soil. (C) The tree then grows new shoots and it grows like a bush. When laid in the sun, the bark rolls up into quills. (D) This produces the cinnamon sticks we buy at the store. Cinnamon is the second most popular spice in the West, after black pepper. (E)

*Ceylon : 실론
*Cinnamaldehyde : 신남알데히드

Grammar Note

2행 : 4형식 동사 give
give는 간접목적어와 직접목적어를 취하는 4형식 동사이며, '~에게 …을 주다'라는 의미.
Sue gave me an invitation card.
수가 나에게 초대장을 주었다.

15행 : 분사구문에서 being의 생략
분사구문을 만들 때 부사절의 접속사와 주어를 생략하고 동사를 '-ing'로 바꾸는데, 별다른 의미가 없는 be동사의 분사인 being은 생략할 수 있음.
(Being) Seriously injured, he is in the hospital now.
부상이 심해서 그는 지금 병원에 있다.

정답 p.3

1 다음 중 계피에 관한 내용과 일치하지 않는 것은?

① 수천 년 동안 사용되어 왔다.
② 따뜻한 성질을 가지고 있다고 여겨진다.
③ 실론 계피는 대부분의 국가에서 생산된다.
④ 서양에서 두 번째로 인기 있는 향신료이다.
⑤ 일광 건조 방법을 통해 돌돌 말린 막대 모양이 된다.

2 이 글의 밑줄 친 shoots와 의미가 가장 가까운 것은?

① leaves
② branches
③ directions
④ fire
⑤ ways

3 다음 문장이 들어가기에 가장 알맞은 곳은?

It has a milder and sweeter flavor.

① (A) ② (B)
③ (C) ④ (D)
⑤ (E)

4 사람들이 계피를 사용하는 이유가 아닌 것은?

① 빵을 구울 때 재료로 사용하기 위해
② 고기와 카레 요리에 맛을 더하기 위해
③ 부드러운 기름을 생산하기 위해
④ 차와 혼합하여 질병을 완화하기 위해
⑤ 커피와 같은 음료에 풍미를 더하기 위해

WORDS

inner [ínər] 형 안의, 내부의
bark [ba:rk] 명 나무껍질
cinnamon [sínəmən] 명 계피
spice [spais] 명 향신료
flavor [fléivər] 동 맛을 내다 명 맛, 풍미
traditional [trədíʃənəl] 형 전통적인
view [vju:] 동 ~으로 보다, 간주하다
quality [kwáləti] 명 특성, 속성
mix into ~에 섞다
relieve [rilí:v] 동 완화하다, 경감하다
flu [flu:] 명 독감
mild [maild] 형 순한, 부드러운
smell [smel] 명 냄새, 향기
taste [teist] 명 맛, 풍미
contain [kəntéin] 동 ~이 들어 있다, 포함하다
trunk [trʌŋk] 명 나무 줄기
soil [sɔil] 명 흙
bush [buʃ] 명 관목
roll up 둥글게 말다
quill [kwil] 명 깃, 깃대
black pepper 후추

직독직해

It was mixed / into teas / to relieve colds and flus.

Growers cut / the trunk short / and cover it / with soil.

This produces / the cinnamon sticks / we buy / at the store.

Review Test

정답 p.4

[1~2] 밑줄 친 단어와 비슷한 의미의 단어를 고르시오.

1 Famine is widespread in Africa.

① war ② hunger ③ poverty ④ food ⑤ wildness

2 My sister is a vegan.

① doctor ② farmer ③ cook ④ hunter ⑤ vegetarian

[3~5] 빈칸에 알맞은 단어를 〈보기〉에서 찾아 쓰시오.

보기	happen	energetic	relieve	contain	nation

3 Nobody knows what will ____________ tomorrow.

4 Those bottles ____________ soft drinks.

5 My uncle is a very ____________ man.

6 **밑줄 친 부분의 쓰임이 다른 하나를 고르시오.**

① When did you first visit Canada?
② She was only 6 when she first went to America.
③ When the telephone rang, Mike was reading a book.
④ When I woke up, it was six in the morning.
⑤ When you walk your dog, please keep it on a leash.

[7~8] 밑줄 친 부분을 어법에 맞게 고쳐 쓰시오.

7 Jenny went out because of she had a lunch date.

____

8 My parents gave a gift me.

____

[9~10] 우리말과 뜻이 같도록 주어진 단어를 배열하여 문장을 완성하시오.

9 녹차 식이요법은 사람들이 여분의 칼로리를 태우는 것을 도울 수 있다.
(help / may / a few extra calories / green tea diet / people / burn)

____

10 계피는 서양에서 두 번째로 인기 있는 향신료이다.
(the second / is / cinnamon / most popular / in the West / spice)

____

Fairytale
colours
Toys
Toys
ARTEMIS
colours
ZEUS
APHRODITE

02 UNIT

05 Too Sweet

In the past few decades, too much fat was seen as dangerous and low-fat foods became popular. As a result, food manufacturers started to add sugar to their foods to make them taste better. Now the ________ has turned to sugar as an unhealthy part of the modern diet.

There is a lot of sugar in dessert foods. Sugar is also in packaged foods like bread, salad dressing, or energy bars. Even if the label claims the food is natural or healthy, sugar may be added for taste. The total sugar on a nutritional label only mentions the sugar naturally found in the food. It does not include the added sugar. Therefore it is hard to know the true total amount of sugar in a product.

Experts say 9 teaspoons of sugar a day is enough for adult men. Even less is recommended for women and children. A single soda drink has 11 teaspoons of added sugar. Too much sugar is linked with mental fogginess and diabetes. It is even linked to dementia and cancer.

Grammar Note

9행 : 접속사 even if

even if는 '~일지라도'라는 의미로 양보의 의미를 가지고 있지만, even though와 의미의 차이가 있으므로 주의해야 함. even if는 가정의 의미가 담겨있지만, even though는 사실에 대한 내용을 담고 있음.

I'm going to the concert even if it rains.
비가 온다고 해도 나는 콘서트에 갈 거야.

They went to the concert even though it rained.
비가 왔지만 그들은 콘서트에 갔다.

14행 : a = per

a가 '~당, ~마다'의 의미로 쓰일 때 per와 바꿔 쓸 수 있음.

The tickets are $10 a[=per] person.
표는 1인당 10달러이다.

정답 p.4

1 이 글의 내용과 일치하지 않는 것은?

① 저지방 식품은 인기가 있다.
② 포장 식품에도 설탕이 첨가되어 있다.
③ 남자보다 여자의 설탕 권장량이 더 낮다.
④ 탄산음료 한 잔에는 설탕이 10티스푼 이상 들어 있다.
⑤ 식품의 영양 성분 라벨은 설탕의 실제 총량을 알려준다.

2 다음 질문 중 이 글에서 답을 알 수 있는 것은?

① How much sugar is in salad dressing?
② Is 8 teaspoons of sugar a day enough for children?
③ What will too much sugar create?
④ What is the most unhealthy food in the world?
⑤ Is too much fat more dangerous than sugar?

3 이 글의 빈칸에 들어갈 말로 가장 알맞은 것은?

① talent
② scene
③ danger
④ score
⑤ focus

4 최근 식료품에 첨가당이 많이 들어 있는 이유는 무엇인가?

① 사람들이 음식의 달콤함에 익숙해졌기 때문에
② 설탕을 넣으면 식품의 맛이 좋아지기 때문에
③ 사람들이 이전보다 더 많은 가공 식품을 먹기 때문에
④ 설탕이 많이 든 식품이 잘 팔리기 때문에
⑤ 설탕의 원료비가 비싸지 않기 때문에

WORDS

decade [dékeid] 명 10년간
fat [fæt] 명 지방
low-fat 저지방의
manufacturer [mæ̀njəfǽktʃərər] 명 제조업자
add [æd] 동 더하다, 추가하다
taste [teist] 명 맛, 풍미
turn to ~이 되다
modern [mádərn] 형 현대의
diet [dáiət] 명 식사, 음식
package [pǽkidʒ] 동 포장하다
label [léibəl] 명 라벨, 상표
claim [kleim] 동 주장하다
nutritional [nju:tríʃənəl] 형 영양상의
mention [ménʃən] 동 언급하다, 이야기하다
include [inklúːd] 동 포함하다, 함유하다
product [prádəkt] 명 제품, 생산품
expert [ékspəːrt] 명 전문가
adult [ədʌ́lt] 명 성인, 어른
recommend [rèkəménd] 동 추천하다, 권하다
be linked with ~와 연결하다
mental fogginess 멍함, 정신적 흐릿함
diabetes [dàiəbíːtiːz] 명 당뇨병
dementia [diménʃə] 명 치매
cancer [kǽnsər] 명 암

직독직해

It is hard / to know the true total amount of sugar / in a product.

Experts say / 9 teaspoons of sugar a day / is enough / for adult men.

Too much sugar / is linked / with mental fogginess and diabetes.

---

06 The Great Tunguska Event

In a big forest in Russia, something very strange happened on June 30th, 1908. The people who lived in the forest heard a very loud noise. Next, the ground shook, and windows were broken by a powerful wind. Once everything settled down, the Russians ran outside to see what had happened. They found that all of the trees in the forest had fallen down.

This occurred in a place called Tunguska, so this occurrence is known as the Great Tunguska Event. Today, people still do not agree about exactly what happened. One theory is that a tiny black hole passed through the earth. Other people think that a spaceship crashed while it was coming to visit our planet. However, most people think that the Great Tunguska Event was caused by the impact of a meteorite.

Whatever caused the Great Tunguska Event, it was a good thing that it happened in a _________ area where few people lived. If a comet had fallen on a city like Moscow, the capital of Russia, many people would have died.

Grammar Note

13행 : 과거진행형
과거진행 시제는 과거의 어느 특정한 시점에서 진행되고 있던 동작이나 상태를 나타냄.

Tim **was watching** TV at 7.
팀은 7시에 TV를 보는 중이었다.

When I looked out of the window, it **was snowing**.
창밖을 내다보았을 때 눈이 내리고 있었다.

17행 : 가정법 과거완료
과거 사실과 반대되는 상황을 가정할 때 쓰며, '~했더라면 …했을 텐데'라는 의미. 형태는 [if 주어+had+p.p., 주어+could/would/might+have p.p.].

If I **had had** a lot of money, I **would have had** a vacation in Europe.
내가 돈이 많이 있었다면 유럽에서 휴가를 보냈을 텐데.

정답 p.5

1 이 글의 주제로 가장 알맞은 것은?

① secrets of Russian government
② the appearance of a spaceship in Russia
③ the strange occurrence in Tunguska
④ natural disasters in Russian history
⑤ the mystery of a black hole

2 이 글의 밑줄 친 occurred와 의미가 가장 가까운 것은?

① built
② increased
③ announced
④ shook
⑤ happened

3 이 글의 빈칸에 들어갈 말로 가장 알맞은 것은?

① city
② near
③ close
④ remote
⑤ crowded

4 대부분의 사람들이 the Great Tunguska Event의 원인으로 보는 것은?

① 우주선의 충돌
② 운석의 충돌
③ 러시아 핵 실험
④ 외계인의 지구 방문
⑤ 강력한 허리케인

WORDS

forest [fɔ́(:)rist] 명 숲
noise [nɔiz] 명 소리, 소음
ground [graund] 명 땅, 지면
shake [ʃeik] 동 흔들리다
settle down 진정하다, 안정하다
fall down 쓰러지다
occurrence [əkə́:rəns] 명 사건, 발생
be known as ~로 알려져 있다
agree [əgríː] 동 동의하다
exactly [igzǽktli] 부 정확히, 틀림없이
theory [θí(:)əri] 명 이론, 학설
tiny [táini] 형 아주 작은
pass through 통과하다, 지나가다
spaceship [spéisʃip] 명 우주선
crash [kræʃ] 동 충돌하다
planet [plǽnit] 명 행성
cause [kɔːz] 동 ~의 원인이 되다
impact [ímpækt] 명 충돌, 충격
meteorite [míːtiəràit] 명 운석
area [ɛ́əriə] 명 지역
comet [kámit] 명 혜성
capital [kǽpitəl] 명 수도

직독직해

The people / who lived in the forest / heard / a very loud noise.

They found that / all of the trees in the forest / had fallen down.

One theory is that / a tiny black hole / passed through the earth.

---

07 Seeing Rainbows

We can see a rainbow when the sun is behind us and water droplets are in front of us. The center of the rainbow is directly opposite the sun. So most of the time, we can only see an arc. We don't see the full circle of a rainbow. The bigger the water droplets, the clearer the colors of the arcs.

The light of the sun hits the droplets and is reflected back to us. The various colors have different wavelengths. So they are refracted or bent at different angles. This fact was demonstrated by Sir Isaac Newton. He used a glass prism to separate the different colors in sunlight. The colors are red, orange, yellow, green, blue, indigo, and violet.

Sometimes we can see a second rainbow which is fainter than the first. This is caused by the light reflected twice from the water droplets. Interestingly, the order of the colors is reversed. It's also possible to see a lunar rainbow if the moon is bright enough.

Grammar Note

7행 : the 비교급 ~, the 비교급 ~

[the 비교급 ~, the 비교급 ~]은 '~할수록 더 …하다'는 의미.

The more they had, the more they wanted.
그들은 많이 가지면 가질수록 더욱 많은 것을 원했다.

The more, the merrier.
사람은 많을수록 즐거워진다.

14행 : 비교급 than

두 개의 대상을 비교할 때 [A 비교급 than B] 구문을 사용. 'B보다 A가 더 ~한'이라는 의미.

Jerry is smaller than Tom.
제리는 톰보다 더 작다.

정답 p.5

1 이 글의 주제로 가장 알맞은 것은?

① 무지개를 가장 잘 발견하는 방법
② 무지개의 크기가 다양한 이유
③ 무지개에 관한 다양한 사실들
④ 무지개를 보는 과학적인 원리
⑤ 무지개의 문화적 의미와 역사적 배경

2 이 글의 내용과 일치하지 않는 것은?

① 밝은 날에는 달무지개를 관찰할 수 있다.
② 두 번째 무지개의 색깔은 순서가 반대이다.
③ 물방울이 더 크면 무지개의 색상이 다양해진다.
④ 물방울이 두 번 반사되면 두 번째 무지개가 생긴다.
⑤ 뉴턴은 유리 프리즘을 이용해 햇빛의 색깔을 분리했다.

3 무지개의 완전한 원을 볼 수 없는 이유는 무엇인가?

① 물방울들이 충분히 크지 않아서
② 색깔의 순서가 뒤바뀌어서
③ 사람들이 높은 곳에서 관찰하지 않아서
④ 무지개가 태양의 반대에 위치해 있어서
⑤ 물방울들이 관측자에게 너무 가까이 있어서

4 이 글의 밑줄 친 fainter와 의미가 가장 가까운 것은?

① stronger
② dimmer
③ thinner
④ farther
⑤ lower

WORDS

- **water droplet** 물방울
- **in front of** ~의 앞에
- **center** [séntər] 명 중심, 중앙
- **opposite** [ápəzit] 전 ~의 맞은편에, ~의 반대 위치에
- **arc** [ɑːrk] 명 아치 모양
- **circle** [sə́ːrkl] 명 원, 원형
- **hit** [hit] 동 부딪치다
- **reflect** [riflékt] 동 비추다, 반사하다
- **wavelength** [wéivlèŋθ] 명 파장
- **refract** [rifrǽkt] 동 굴절시키다
- **bend** [bend] 동 구부리다, 굽히다
- **angle** [ǽŋgl] 명 각, 각도
- **fact** [fækt] 명 사실, 실제
- **demonstrate** [démənstrèit] 동 증명하다, 입증하다
- **prism** [prízəm] 명 프리즘, 분광
- **separate** [sépəreit] 동 분리하다, 떼어놓다
- **indigo** [índəgòu] 명 (진한) 남색
- **interestingly** [íntərəstiŋli] 부 흥미 있게, 재미있게
- **order** [ɔ́ːrdər] 명 순서, 차례
- **reverse** [rivə́ːrs] 동 뒤집다, 바꾸다
- **lunar** [lúːnər] 형 달의

직독직해

The bigger / the water droplets, / the clearer / the colors of the arcs.

He used / a glass prism / to separate / the different colors in sunlight.

This is caused / by the light / reflected twice / from the water droplets.

08 Choosing Your Path

Most people have mainstream jobs. (A) But there are an increasing number of people who have unusual jobs. (B) These people tend to like adventure or have special talents. (C) It is _________ for people to have unusual jobs during the transition between college and their long-term job. (D) But some people have unusual jobs for their whole lives. (E) What is the most unusual job you have ever heard of?

How about these? Some medicines come from the poison of snakes. Someone has to get that poison from the snakes, so there are people called "snake-milkers." Have you ever heard about a chicken sexer? A chicken sexer's job is to determine if baby chicks are male or female, and then segregate them. Everyone knows that laughing is good for your health. Did you know there are therapists who spend all day making their patients laugh?

What kind of job do you want when you grow up? Think a lot before you decide on your first job because the world is full of fascinating opportunities. Maybe there is an unusual experience waiting for you.

Grammar Note

3행 : 의미상의 주어

가주어 it 뒤에 사람의 성질이나 태도를 나타내는 형용사가 올 경우에는 [of+목적격]을, 일반적인 형용사가 올 경우에는 [for+목적격]을 사용.

It is rude of you to speak loudly in the library.
도서관에서 큰 소리로 말하다니 너는 예의가 없구나.

It is easy for me to walk my dog.
나에게 있어 개를 산책시키는 것은 쉽다.

10행 : 명사절을 이끄는 접속사 if/whether

if나 whether는 '~인지 아닌지'를 뜻하며 [if/whether+주어+동사]의 어순을 취함. 주로 의문이나 불확실성을 나타내는 know, wonder, decide, determine 등의 동사와 함께 사용.

I'll decide if I should stay with her.
그녀와 함께 머물러야 할지 결정할게.

정답 p.6

1 이 글의 주제로 가장 알맞은 것은?

① 인기 있는 직업 순위
② 대학과 별난 직업의 관계
③ 다양한 별난 직업
④ 안정적인 직업의 장점
⑤ 첫 직업 선택의 어려움

2 다음 문장이 들어가기에 가장 알맞은 곳은?

> They go to the office every day from 9:00 to 6:00, and receive a monthly salary.

① (A)
② (B)
③ (C)
④ (D)
⑤ (E)

3 이 글의 빈칸에 들어갈 말로 가장 알맞은 것은?

① rare
② abstract
③ similar
④ difficult
⑤ common

4 다음 질문 중 이 글에서 답을 알 수 없는 것은?

① Is laughing good for our health?
② Who gets the poison from the snakes?
③ What kind of talents does a snake-milker have?
④ What does a chicken sexer do?
⑤ Does someone have an unusual job for his lifetime?

WORDS

mainstream [méinstrìːm] 형 주류의
increasing [inkríːsiŋ] 형 증대하는, 증가하는
unusual [ʌnjúːʒuəl] 형 보통이 아닌, 드문
tend to ~하는 경향이 있다
adventure [ədvéntʃər] 명 모험, 모험심
talent [tǽlənt] 명 재능
transition [trænzíʃən] 명 과도기
long-term 장기간의
medicine [médisin] 명 약
poison [pɔ́izən] 명 독
chicken sexer 병아리 감별사
determine [ditə́ːrmin] 동 결정하다, 결심하다
male [meil] 명 남자, 남성
female [fíːmèil] 명 여자, 여성
segregate [ségrəgeit] 동 분리하다
laugh [læf] 동 웃다
therapist [θérəpist] 명 치료사
decide on ~을 결정하다
fascinating [fǽsənèitiŋ] 형 매력적인
opportunity [àpərtjúːnəti] 명 기회
experience [ikspí(ː)əriəns] 명 경험
wait for ~을 기다리다

직독직해

There are / an increasing number of people / who have unusual jobs.

Some medicines / come / from the poison of snakes.

Everyone knows that / laughing is good / for your health.

Review Test

정답 p.6

[1~2] 밑줄 친 단어와 반대 의미의 단어를 고르시오.

1 The newborn puppies were so tiny.

① cute ② big ③ weak ④ slim ⑤ fat

2 He has some unusual habits.

① funny ② useful ③ bad ④ old ⑤ normal

[3~5] 빈칸에 알맞은 단어를 〈보기〉에서 찾아 쓰시오.

보기	agree	claim	reflect	cause	separate

3 Ted didn't ____________ to our plan.

4 Bad eating habits can ____________ health problems.

5 Break an egg and ____________ the yolk from the white.

6 **밑줄 친 부분의 쓰임이 다른 하나를 고르시오.**

① Hellen has a dog and two cats.
② A bird is sitting on the branch.
③ I had a cup of tea after lunch.
④ There is a book on the shelf.
⑤ My uncle goes to the gym twice a week.

[7~8] 밑줄 친 부분을 어법에 맞게 고쳐 쓰시오.

7 Do you know if is he coming today?

____

8 The older she got, the wise she became.

____

[9~10] 우리말과 뜻이 같도록 주어진 단어를 배열하여 문장을 완성하시오.

9 설탕은 빵과 샐러드드레싱, 또는 에너지 바와 같이 포장된 식품에 들어 있다.
(like / in packaged foods / is / bread, salad dressing, or energy bars / sugar)

____

10 사람들은 정확히 무슨 일이 일어났는지에 대해 여전히 의견이 일치하지 않는다.
(still / do not / people / about / agree / exactly what happened)

____

03 UNIT

09 Rock Climbing

It may seem easy to learn to do rock climbing, but experts say that it takes proper training to do it right. Some quick tips to remember are to use your legs more than your arms. They have more muscle than your arms. They are the key to moving up the rocks without getting too tired. It's easier to go up with your legs than your arms.

When you do have to hang by your arms, try to keep them straight. Using your arm muscle to keep you up is too tiring. You can save energy by hanging with your arms loose like how monkeys do. Of course, try not to swing only by your arms.

Also, you should learn to use your specialized rock climbing shoes. Their rubber soles have more _________ than you may realize. They can stick to rocks and cracks very well. If you ever get stuck, try to move the position of your feet first, then your arms.

Grammar Note

7행 : without –ing
'~없이'라는 의미의 without은 동명사 앞에서 '~하지 않고'라는 의미.

Tom just left **without saying** goodbye.
톰은 작별 인사도 하지 않고 그냥 떠나버렸다.

11행: to부정사의 부정
to부정사를 부정할 때에는 바로 앞에 not을 씀.

I try **not** to eat instant food.
나는 인스턴트 음식을 먹지 않으려고 노력한다.

He told me **not** to say a word.
그는 나에게 한 마디도 하지 말라고 말했다.

정답 p.7

1 이 글의 요지로 가장 알맞은 것은?

① 암벽 등반은 매우 위험할 수 있다.
② 좋은 브랜드의 신발을 고르는 것은 중요하다.
③ 암벽 등반을 배우기는 쉽다.
④ 다리를 제대로 사용하는 것이 등반의 비결이다.
⑤ 등산용 스틱은 항상 필요하다.

2 이 글의 빈칸에 들어갈 말로 가장 알맞은 것은?

① strength
② grip
③ room
④ sizes
⑤ weight

3 암벽 등반에 대한 내용과 일치하지 않는 것은?

① 매달려 있을 때 팔만 흔들어서는 안 된다.
② 전문가들은 제대로 된 교육을 받기를 권장한다.
③ 몇몇 즉석 팁은 암벽 등반에 도움이 된다.
④ 다리를 사용하는 것이 팔보다 덜 지친다.
⑤ 암벽 등반 신발은 하이킹 신발과 비슷하다.

4 이 글의 밑줄 친 stuck과 의미가 가장 가까운 것은?

① confused
② closed
③ squeezed
④ trapped
⑤ lost

WORDS

expert [ékspəːrt] 명 전문가
proper [prάpər] 형 적절한
muscle [mʌ́sl] 명 근육
key [kiː] 명 비결; 열쇠
hang [hæŋ] 동 매달리다
keep [kiːp] 동 유지하다
straight [streit] 부 일직선으로
energy [énərdʒi] 명 힘, 활력
loose [luːs] 형 느슨한, 헐거워진
swing [swiŋ] 동 흔들다
specialized [spéʃəlàizd] 형 전문의, 특수화한
rubber sole 고무 밑창
realize [rí(ː)əlàiz] 동 깨닫다, 알게 되다
stick [stik] 동 들러붙게 하다, 붙이다
crack [krǽk] 명 갈라진 틈, 균열
position [pəzíʃən] 명 위치, 장소

직독직해

They have / more muscle / than your arms.

It's easier / to go up / with your legs / than your arms.

You should learn / to use / your specialized rock climbing shoes.

---

10 Dining with Dogs

There is a restaurant that is very different from all other restaurants. Why? Because the waitstaff are not people. What? Well, if the waitstaff are not people, can you guess what animal they would be? This animal has a long history of helping humans. Yes, the answer is our loyal companion and our best friend–the dog. For a long time, dogs have been helping people who are blind and hearing impaired. They have helped people with various physical disabilities for several decades.

So, of course, a dog can be a waiter. But, how? Well, when the customers sit down, one of the customers calls the dog. (A) A cart is attached to the dog. (B) The customers fill out the menu on the table, and put it into the dog's backpack. (C) Then the cook puts the food on the cart, and the dog delivers the food to the hungry customers. (D) Then the dog takes the menu to the kitchen. The customers reward the _________ canine that helps them with a snack for their hard work.

Grammar Note

1, 7행 : 관계대명사

관계대명사는 [접속사+대명사]의 역할을 하며, 관계대명사절은 형용사처럼 앞에 나오는 명사를 수식. 관계대명사절의 수식을 받는 명사를 선행사라고 하며, 선행사가 사람이면 who, 사물이면 which를 씀. that은 사람과 사물에 둘 다 사용 가능.

Who is that boy who is sitting on the bench?
벤치에 앉아 있는 저 소년은 누구니?
(Who is that boy? + He is sitting on the bench.)

10행 : 시간 접속사 when

when 뒤에 [주어+동사]가 나와서 하나의 시간부사 역할을 하며, '~할 때'로 해석.

When I am free, I usually watch movies.
나는 여유가 될 때, 주로 영화를 본다.

정답 p.7

1 이 글의 주제로 가장 알맞은 것은?

① 오직 개를 위해 요리하는 식당
② 개가 웨이터인 식당
③ 모든 웨이터들이 개를 기르는 식당
④ 개들이 요리사인 식당
⑤ 시각 및 청각 장애인을 위한 식당

2 이 글의 (A)~(D)를 글의 흐름에 맞게 배열한 것은?

① (A)-(B)-(C)-(D)
② (A)-(C)-(B)-(D)
③ (B)-(A)-(D)-(C)
④ (B)-(D)-(A)-(C)
⑤ (B)-(D)-(C)-(A)

3 이 글의 밑줄 친 calls the dog이 의미하는 것은?

① to call on a telephone
② to give the dog a new name
③ to stop something from happening
④ to ask the dog to pay something
⑤ to get the dog to come by talking to it

4 이 글의 빈칸에 들어갈 말로 가장 알맞은 것은?

① polite
② honest
③ silly
④ clever
⑤ creative

WORDS

waitstaff [wéitstæ:f] 명 종업원들
guess [ges] 동 추측하다
history [hístəri] 명 역사
human [hjú:mən] 명 인간
loyal [lɔ́iəl] 형 충성스러운
companion [kəmpǽnjən] 명 친구, 동료
blind [blaind] 형 눈이 먼
impaired [impéərd] 형 손상된
various [vɛ́(:)əriəs] 형 다양한
physical [fízikəl] 형 신체의
disability [dìsəbíləti] 명 장애
decade [dékeid] 명 10년간
customer [kʌ́stəmər] 명 손님, 고객
attach to ~에 붙이다
fill out ~에 기입하다
backpack [bǽkpæ̀k] 명 배낭
cook [kuk] 명 요리사
cart [kɑ:rt] 명 짐수레
deliver [dilívər] 동 배달하다
reward A with B A에게 B로 보답하다
canine [kéinain] 명 개
snack [snæk] 명 간식

직독직해

This animal has / a long history / of helping humans.

The customers fill out / the menu / on the table.

The dog delivers / the food / to the hungry customers.

---

11 Wedding Traditions

The expression "tie the knot" means to get married. It comes from handfasting, an ancient Celtic tradition in England and Europe. People tied the bride and groom's hands together with actual string to symbolize their union. If the marriage was successful for a year, the couple could do the ceremony again. This time, they may _________ another year or a lifetime.

In ancient Norse culture, newlyweds would hide for a month after a wedding. Family members would bring the new bride and groom some honey wine to drink. This is the origin of the term "honeymoon" because it was a month of drinking honey wine.

Today's multiple-layer wedding cake came from an old English kissing game at weddings. People would stack several cakes on top of the other and the couple tried to kiss each other without knocking the cakes down. Frosting on the cake came later. Also, the white wedding dress became popular after Queen Victoria of England wore one for her wedding in 1840. Before that, brides usually just wore their best dress on their wedding day.

Grammar Note

10, 11행 : 과거의 습관을 나타내는 would

would는 과거의 습관을 나타내며, '~하곤 했다'라는 의미. used to와 같은 의미가 있으며, 과거의 존재나 상태를 나타내는 경우에는 '~이었다'라는 의미로 used to만 사용.

I would[=used to] play tennis with Danny.
나는 대니와 테니스를 치곤 했다.

There used to be a tennis court in my neighborhood.
우리 동네에 테니스 코트가 있었다.

18행 : 2형식 동사

become, look, seem 등은 주격보어를 동반하는 동사로 주격보어가 될 수 있는 것은 명사(구)와 형용사(구).

She became a teacher at the middle school.
그녀는 중학교 선생님이 되었다.

He seemed tired yesterday.
그는 어제 피곤해 보였다.

정답 p.8

1 이 글의 요지로 가장 알맞은 것은?

① 결혼의 의미는 현대에 와서 달라졌다.
② 오늘날의 결혼식은 절차가 너무 복잡하다.
③ 다양한 전통이 오늘날의 결혼 풍습에 영향을 미쳤다.
④ 오늘날 서양 결혼 풍습은 영국에서 유래되었다.
⑤ 모든 결혼 전통은 개인에게 깊은 의미가 있다.

2 결혼식 전통에 대한 내용과 일치하지 않는 것은?

① 웨딩 케이크를 높이 쌓는 것은 한때 게임이었다.
② 허니문은 한 달 동안 꿀을 먹는 것에서 유래되었다.
③ 빅토리아 여왕은 하얀 웨딩드레스를 대중화했다.
④ 신랑과 신부의 손을 묶는 것은 영국의 오래된 전통이었다.
⑤ 고대 노르웨이에서는 신혼부부가 결혼 후에 숨어있는 문화가 있었다.

3 이 글의 밑줄 친 tie와 의미가 가장 가까운 것은?

① dump
② loosen
③ turn
④ bind
⑤ dig

4 이 글의 빈칸에 들어갈 말로 가장 알맞은 것은?

① direct ② change
③ hold ④ part
⑤ promise

WORDS

expression [ikspréʃən] 명 표현
knot [nɑt] 명 매듭
handfasting [hǽndfæ̀stiŋ] 명 (손을 맞잡고 하는) 약혼
ancient [éinʃənt] 형 고대의
tradition [trədíʃən] 명 전통
bride [braid] 명 신부
groom [gru(:)m] 명 신랑
string [striŋ] 명 끈, 노끈
symbolize [símbəlàiz] 동 ~을 상징하다
union [júːnjən] 명 결합
marriage [mǽridʒ] 명 결혼
ceremony [sérəmòuni] 명 식, 의식
lifetime [láiftəmàim] 명 일생
Norse [nɔːrs] 형 노르웨이의
newlyweds [njúːliwèdz] 명 신혼부부
hide [haid] 동 숨다, 숨어 있다
origin [ɔ́(:)ridʒin] 명 기원, 출처
term [təːrm] 명 용어; 기간
multiple-layer 다수의 층으로 이루어진
stack [stæk] 동 ~을 쌓아 올리다, 쌓다
knock down 쓰러뜨리다
frosting [frɔ́(:)stiŋ] 명 (케이크에) 당을(설탕을) 입힘

직독직해

It comes from / handfasting, an ancient Celtic tradition / in England.

In ancient Norse culture, / newlyweds would hide / for a month.

Brides usually wore / their best dress / on their wedding day.

---

12 The Mary Celeste

The *Mary Celeste* was a merchant ship discovered in the Atlantic Ocean in early December 1872. There was no one on the ship, even though the weather was fine, and there was lots of food and drinkable water. How had the *Mary Celeste* become a ghost ship?

(A) The *Mary Celeste* was found by another ship, the *Dei Gratia*. (B) When the captain of the *Dei Gratia* thought that no one was on the ship, he told his crew to search the *Mary Celeste*. (C) All the ship's gear and clothes were in their correct places. (D) Only the sailors were absent! (E)

Some people think that a tsunami, waterspout, or even pirates forced the sailors to abandon ship. However, the most likely cause was due to the *Mary Celeste's* cargo of 1,701 barrels of alcohol. Some of the barrels had started to leak. The crew probably smelled the alcohol in the air and feared an explosion, so they abandoned ship. No one, however, knows for sure, and the ghost ship *Mary Celeste* remains a mystery.

Grammar Note

6행 : 양보 접속사 (even) though
(even) though, although 등은 양보 부사절을 이끌며, '~임에도 불구하고'라는 의미.
Though it was snowing heavily, he drove to work.
눈이 많이 내리고 있음에도 그는 자가용으로 출근했다.

12행 : to부정사를 목적보어로 취하는 5형식 동사
to부정사를 목적보어로 취하는 동사에는 tell, allow, ask, want 등이 있음.
She allowed her son to watch TV until 8.
그녀는 그녀의 아들이 8시까지 TV를 보는 것을 허락했다.

정답 p.8

1 이 글의 밑줄 친 absent와 의미가 가장 가까운 것은?

① sent
② wrong
③ missing
④ present
⑤ abandoned

2 다음 문장이 들어가기에 가장 알맞은 곳은?

> The searchers thought it was so strange because nothing was missing or seemed out of the ordinary.

① (A) ② (B)
③ (C) ④ (D)
⑤ (E)

3 배의 선원이 사라진 이유로 이 글에서 언급되지 않은 것은?

① 해적 ② 쓰나미
③ 폭발 ④ 시간 여행
⑤ 용오름

4 *Dei Gratia*호의 선장이 *Mary Celeste*호를 수색하라고 한 이유를 우리말로 쓰시오.

____

WORDS

discover [diskʌ́vər] 동 발견하다
drinkable [dríŋkəbl] 형 마실 수 있는
ghost [goust] 명 유령
captain [kǽptən] 명 선장
crew [kru:] 명 선원
search [səːrtʃ] 동 수색하다
gear [giər] 명 장비, 도구
correct [kərékt] 형 정확한, 옳은
sailor [séilər] 명 선원
tsunami [tsunɑ́:mi] 명 지진으로 인한 해일, 쓰나미
waterspout [wɔ́:tərspàut] 명 용오름
pirate [páiərət] 명 해적, 해적선
abandon [əbǽndən] 동 버리다, 유기하다
likely [láikli] 형 있을 법한, 그럴싸한
due to ~ 때문에
cargo [kɑ́:rgou] 명 짐, 화물
barrel [bǽrəl] 명 (가운데가 불룩한) 통
leak [li:k] 동 새다, 새어 나오다
explosion [iksplóuʒən] 명 폭발
for sure 분명히, 확실히
remain [riméin] 동 ~한 채로 남아 있다
mystery [místəri] 명 수수께끼
out of the ordinary 특이한, 색다른

직독직해

There was no one / on the ship, / even though the weather was fine.

____

All the ship's gear and clothes were / in their correct places.

____

The crew smelled / the alcohol in the air / and feared / an explosion.

____

Review Test

정답 p.9

[1~2] 밑줄 친 단어와 비슷한 의미의 단어를 고르시오.

1 I'll show you the proper way to clean your teeth.

① effective ② noisy ③ faint ④ available ⑤ correct

2 Jim is one of my closest companions.

① children ② friends ③ officers ④ workers ⑤ families

[3~5] 빈칸에 알맞은 단어를 〈보기〉에서 찾아 쓰시오.

보기 tradition abandoned expert decade rewarded

3 He is a(n) ____________ in computer programs.

4 His mother ____________ him with chocolates for cleaning his room.

5 A ____________ has passed since he left Korea.

6 **밑줄 친 부분의 쓰임이 다른 하나를 고르시오.**

① When did you have lunch?
② When I was a child, I lived in London.
③ When you visit Seoul, please call me.
④ What do you want to be when you grow up?
⑤ He looks funny when he does that.

[7~8] 밑줄 친 부분을 어법에 맞게 고쳐 쓰시오.

7 My mother allowed me go to the party.

____

8 There would be a tall tree in front of my house.

____

[9~10] 우리말과 뜻이 같도록 주어진 단어를 배열하여 문장을 완성하시오.

9 여러분은 전문 암벽 등산화를 사용하는 것을 배워야 한다.
(your specialized rock climbing shoes / you / to use / should / learn)

____

10 모든 다른 식당과는 매우 다른 식당이 하나 있다.
(all other restaurants / a restaurant / there is / very different / that is / from)

____

04 UNIT

13 Warrior Princess

The animated film *Nausicaa of the Valley of Wind* takes place in the future when the Earth is destroyed by war. The human survivors live in a dangerous world full of terrible pollution, fighting between kingdoms, and dangerous animals.

Nausicaa is the princess of a small kingdom called Valley of Wind which has clean forests and farmland. She rides a jet glider which is like a hang glider except that it has an engine and she sits on top. She wears a gas mask to protect herself from any toxic air created by plants.

One day, some large airplanes crash to the ground. Nausicaa goes and finds a passenger about to die. It is Princess Lastel who asks her to destroy the cargo on the ship. The cargo contains poisonous plants and deadly monsters. Soon Nausicaa's kingdom is _________ by Princess Kushana from the Tolmekia kingdom. Nausicaa must then fight to get her home back. She is helped by giant insects called Ohms which she is able to communicate with and use in her battle.

Grammar Note

11행 : 전치사 like

like가 동사가 아닌 전치사로 쓰이는 경우, '~처럼, ~와 같이'의 의미를 가짐.

Maggie looks **like** her mother.
매기는 자신의 엄마와 닮았다.

Peggy loves subjects **like** math and physics.
페기는 수학과 물리학 같은 과목을 좋아한다.

18행 : 조동사 must

조동사 must는 '~해야 한다'는 의미로 강한 의무를 나타냄.

You **must** eat well.
당신은 잘 먹어야 한다.

She **must** finish this work by six.
그녀는 6시까지 이 일을 끝내야 한다.

정답 p.9

1 이 글의 요지로 가장 알맞은 것은?

① future technologies of mankind
② how the Valley of Wind was conquered
③ why Nausicaa became a princess
④ the dangers of environmental collapse
⑤ what Nausicaa does in the story

2 이 글의 내용과 일치하지 <u>않는</u> 것은?

① 바람의 계곡에는 깨끗한 농지가 있다.
② Nausicaa는 비행기 추락을 당하지만 생존한다.
③ 바람의 계곡 주변에는 다른 왕국들이 있다.
④ Nausicaa는 올라탈 수 있는 글라이더를 이용한다.
⑤ Nausicaa는 곤충과 의사소통하는 능력이 있다.

3 이 글의 빈칸에 들어갈 말로 가장 알맞은 것은?

① visited ② aided
③ invaded ④ obstructed
⑤ injured

4 Nausicaa가 방독면을 쓰는 이유를 우리말로 쓰시오.

____

WORDS

animated film 애니메이션, 만화영화
valley [vǽli] 명 계곡, 골짜기
take place 일어나다, 벌어지다
destroy [distrɔ́i] 동 파괴하다
war [wɔːr] 명 전쟁
survivor [sərváivər] 명 생존자
terrible [térəbl] 형 끔찍한, 심한
pollution [pəljúːʃən] 명 오염
kingdom [kíŋdəm] 명 왕국
farmland [fáːrmlæ̀nd] 명 농지, 영토
except that ~이라는 것을 제외하면
protect [prətékt] 동 보호하다
toxic [tάksik] 형 유독한, 독성의
plant [plænt] 명 식물
crash [kræʃ] 동 추락하다, 충돌하다
ground [graund] 명 지면, 땅
passenger [pǽsəndʒər] 명 승객
cargo [kάːrgou] 명 짐, 화물
contain [kəntéin] 동 포함하다, 내포하다
poisonous [pɔ́izənəs] 형 독을 함유한, 유독한
deadly [dédli] 형 치명적인
insect [ínsekt] 명 곤충
communicate [kəmjúːnəkèit] 동 의사소통하다, 대화하다
battle [bǽtl] 명 싸움, 전투

직독직해

The survivors live / in a dangerous world / full of terrible pollution.

____

Nausicaa is / the princess of a small kingdom / called Valley of Wind

____

It is Lastel / who asks her / to destroy the cargo / on the ship.

____

14 Noodling

When people think about fishing, they usually imagine nets or fishing poles or even spears. (A) But in the southern part of the United States, some people catch fish with their bare hands. (B) This kind of fishing is called noodling and a person who participates in this sport is usually called a noodler. (C) Noodlers find holes where catfish live, and they put their arms in these holes and wait. (D) When a huge catfish bites the noodler's hand, the noodler pulls it out of the water as fast as he can. (E) Some catfish are very large and heavy, and noodles are good to eat with fish.

Noodling is a fun sport, but it is also dangerous. Other animals like to make catfish holes their homes. One kind of animal that likes to live in catfish holes is a beaver. It is an animal with big teeth that it uses to cut wood. Another animal that lives in catfish holes is a snapping turtle. It has powerful jaws. Because of these animals, some noodlers have lost their fingers.

Grammar Note

7행 : 관계부사 where

관계부사 where가 이끄는 절 [where+주어+동사]는 형용사절로 장소를 나타내는 선행사를 수식. 선행사가 장소를 나타낼 경우 관계부사 where를 사용.

That's the café where I met Mindy.

저곳이 내가 민디를 만난 카페이다.

(That's the café. + I met Mindy there.)

9행 : 원급을 이용한 비교 구문

[as+형용사/부사의 원급+as+주어+can]은 '가능한 한 ~하게'라는 의미로 [as+형용사/부사의 원급+as possible]로 바꿔 쓸 수 있음.

I will reply to your email as fast as I can [as fast as possible].

가능한 빨리 네 이메일에 대한 답장을 보낼게.

정답 p.10

1 이 글의 요지로 가장 알맞은 것은?

① 누들러는 안전 규칙을 지켜야 한다.
② 물고기를 잡으려면 연습이 필요하다.
③ 누들링은 손으로 물고기를 잡는 스포츠이다.
④ 누들링은 전통적인 물고기를 잡는 방법이다.
⑤ 미국 남부 지방 사람들은 물고기를 즐겨 먹는다.

2 이 글에서 유추할 수 있는 내용은 무엇인가?

① 누들링은 위험해서 자격증이 필요하다.
② 일부 동물들은 다른 동물들과 보금자리를 함께 쓴다.
③ 누들링은 몇 년간의 연습이 필요하다.
④ 누들러는 잡은 메기를 먹지 않는다.
⑤ 누들링은 작은 강에서만 할 수 있다.

3 이 글의 밑줄 친 It이 가리키는 것은?

① a noodler
② a fish
③ a catfish
④ a beaver
⑤ a turtle

4 (A)~(E) 중 글의 전체 흐름과 관계가 없는 것은?

① (A) ② (B)
③ (C) ④ (D)
⑤ (E)

WORDS

imagine [imǽdʒin] 동 상상하다
net [net] 명 그물, 네트
fishing pole 낚싯대
spear [spiər] 명 창
southern [sʌ́ðərn] 형 남쪽의, 남쪽에 있는
bare [bɛər] 형 (아무것도 안 덮인) 맨, 발가벗은
participate in ~에 참가하다
catfish [kǽtfiʃ] 명 메기
put in ~에 넣다
huge [hjuːdʒ] 형 규모가 큰, 거대한
bite [bait] 동 물다
pull out of ~을 밖으로 끄집어 내다
wood [wud] 명 나무
snapping turtle 악어거북
jaw [dʒɔː] 명 턱

직독직해

The noodler pulls / it / out of the water / as fast as he can.

Other animals like / to make catfish holes / their homes.

Another animal / that lives in catfish holes / is a snapping turtle.

15 Keeping It Cold

People in England used ice boxes in the early 1800s. These were usually simple cabinets. The inside was covered _________ tin or zinc and filled _________ ice. The water from the melting ice had to be thrown away daily. And new blocks of ice were delivered to homes regularly.

The modern refrigerator is a recent invention which we take for granted. But it revolutionized the way we live and eat food. Jacob Perkins invented the first modern refrigerator in 1834. It used a vapor compression system for cooling. However, his machine didn't catch on because the ice box industry was so popular at that time.

In the 1910s, several compressor-type refrigerators were on the market. But they needed a motor separate from the unit to operate. These were kept in the basement or the next room. The company Frigidaire made a self-contained refrigerator in 1923 with a motor inside the unit. Refrigerators became very popular in the 1940s and frozen foods began to be sold in supermarkets.

Grammar Note

8행 : 관계부사 how(the way)

관계부사 how가 이끄는 절은 '~하는 방법'을 뜻하며, 문장의 선행사(the way)나 관계부사 how 중 하나를 반드시 생략해야 함.

I'll show you how you can solve the puzzle.

내가 퍼즐을 풀 수 있는 방법을 너에게 보여줄게.

(= I'll show you the way you can solve the puzzle.)

11행 : 접속부사 however

however는 '그렇지만, 그러나'를 뜻하며, 대등 접속사가 아니라 접속부사이기 때문에 뒤에 [주어+동사]의 문장이 바로 나오지 않고 콤마가 나온 후 문장이 이어짐.

However, too much stress is not good for your health.

하지만, 과도한 스트레스는 우리의 건강에 좋지 않다.

정답 p.10

1 **이 글의 요지로 가장 알맞은 것은?**

① 냉장고 제조는 고도의 기술이 필요하다.
② 냉장고는 여러 단계를 거쳐 발명되었다.
③ 현대 생활은 냉장고 없이 불가능하다.
④ 냉장고의 등장으로 냉동식품이 등장했다.
⑤ 냉장고는 더 이상 혁신적인 기능을 가질 수 없다.

2 **이 글의 빈칸에 공통으로 들어갈 말로 가장 알맞은 것은?**

① from ② of
③ in ④ with
⑤ for

3 **다음 질문 중 이 글에서 답을 알 수 없는 것은?**

① When did the modern refrigerators become popular?
② Who used the modern refrigerators first?
③ What did the British use as the refrigerators in the 1800s?
④ Who invented the first modern refrigerator?
⑤ What was the difficulty of using ice boxes?

4 **현대식 냉장고가 처음 등장했을 때 인기를 끌지 못한 이유는 무엇인가?**

① 냉장고의 외부에 모터가 있었기 때문에
② 냉장고가 너무 비쌌기 때문에
③ 사람들이 신기술을 믿지 않았기 때문에
④ 냉장고의 설치와 작동이 어려웠기 때문에
⑤ 사람들이 옛날 방식에 더 익숙했기 때문에

WORDS

cabinet [kǽbənit] 명 수납장, 보관고
inside [insáid] 명 내부
tin [tin] 명 주석, 양철
zinc [ziŋk] 명 아연
melt [melt] 동 녹다, 녹이다
throw away 버리다
daily [déili] 부 매일, 날마다
regularly [régjələrli] 부 정기적으로
modern [mádərn] 형 현대의
invention [invénʃən] 명 발명
take ~ for granted ~을 당연한 일로 생각하다
vapor compression 증기 압축
revolutionize [rèvəljú:ʃənàiz] 동 ~에 혁명을 일으키다
catch on 유행하다, 인기를 얻다
industry [índəstri] 명 산업
separate [sépərèit] 형 분리된, 독립된
unit [jú:nit] 명 구성 부분, 장치
operate [ápərèit] 동 작동하다, 움직이다
basement [béismənt] 명 지하실
frozen [fróuzən] 형 냉동된, 얼어붙은

직독직해

The water / from the melting ice / had to be thrown away / daily.

It revolutionized / the way / we live and eat food.

They needed / a motor / separate from the unit / to operate.

16 Poisonous Frogs

Poison dart frogs live a different kind of life from other frogs. Most frogs sleep in the daytime and wake up at night, so they will be safe from other animals that might eat them. But poison dart frogs are active during the day. Do you know what their secret to survive is? When they feel threatened, they can poison their predators by simply touching them.

Poison dart frogs produce the strongest poison in the animal world, but these frogs are very important for humans. Some people catch poison dart frogs to use their poison. For example, people called Gnobe in Panama put the frogs' poison onto the end of their darts. They say that it makes hunting easier. The animals are killed as soon as a poisoned dart _________ them.

Other people use the frogs' poison to make medicine. There is a chemical in the dart frogs' poison. With the chemical, people can make painkillers, heart medicine, and medicines that help people lose weight. The medicine made from these special frogs is better than other kinds of medicine.

Grammar Note

3행 : 추측을 나타내는 조동사

may, might, could 등은 추측을 나타낼 때 사용하며, 이때 might나 could는 과거를 의미하는 것이 아니고, 현재 사실에 대한 약한 추측을 나타냄.

He **might[may, could]** be in Seoul.

그는 서울에 있을지도 모른다.

5, 14행 : 능력을 나타내는 조동사

can은 '~할 수 있다'는 의미로 능력을 나타내며, be able to로 바꿔 쓸 수 있음. (뒤에 동사원형)

I **can[am able to]** stand on my head.

나는 물구나무를 설 수 있다.

정답 p.11

1 이 글의 요지로 가장 알맞은 것은?

① 개구리는 여러 곳에서 산다.
② 모든 개구리는 독이 있다.
③ 독화살 개구리는 수면 시간이 길다.
④ 개구리는 밤에 활동한다.
⑤ 독화살 개구리는 사람에게 도움을 준다.

2 다음 중 독화살 개구리에 대한 내용과 일치하는 것은?

① They are awake only at night.
② They have protective colors.
③ They live only in Panama.
④ They sometimes protect people.
⑤ They use their poison to be safe.

3 이 글의 빈칸에 들어갈 말로 가장 알맞은 것은?

① smells ② tastes
③ touches ④ rolls
⑤ sends

4 사람들이 독화살 개구리의 독으로 약을 만드는 이유를 우리말로 쓰시오.

____

WORDS

poison [pɔ́izən] 명 독
different [dífərənt] 형 다른
daytime [déitàim] 명 낮, 주간
active [ǽktiv] 형 활동적인
secret [sí:krit] 명 비밀
survive [sərváiv] 동 생존하다
threaten [θrétən] 동 위협하다
predator [prédətər] 명 포식자
produce [prədjú:s] 동 생산하다
dart [dɑ:rt] 명 화살
hunt [hʌnt] 동 사냥하다
as soon as ~하자마자
chemical [kémikəl] 명 화학 물질
painkiller [péinkìlər] 명 진통제
medicine [médisin] 명 약
lose weight 체중이 줄다

직독직해

Poison dart frogs live / a different kind of life / than other frogs.

____

Some people catch / poison dart frogs / to use their poison.

____

Other people use / the frogs' poison / to make medicine.

____

Review Test

정답 p.11

[1~2] 밑줄 친 단어와 반대 의미의 단어를 고르시오.

1 The whole village was destroyed by the flood.

① planned ② designed ③ finished ④ sold ⑤ built

2 They continued their discussions after a short break.

① started ② kept ③ stopped ④ created ⑤ opened

[3~5] 빈칸에 알맞은 단어를 〈보기〉에서 찾아 쓰시오.

보기	different	regularly	imaginary	invention	toxic

3 The unicorn is a(n) ____________ animal.

4 The lightbulb was a(n) ____________ by Thomas Edison.

5 Cats and dogs are ____________ in many ways.

6 밑줄 친 부분의 쓰임이 다른 하나를 고르시오.

① I like to play the guitar.
② Helen likes skiing and swimming.
③ Do you like Korean food?
④ My little brother eats like a pig.
⑤ Try some of the pizza, and you will like it!

[7~8] 밑줄 친 부분을 어법에 맞게 고쳐 쓰시오.

7 Please come as sooner as possible.

____

8 That's the way how you start the machine.

____

[9~10] 우리말과 뜻이 같도록 주어진 단어를 배열하여 문장을 완성하시오.

9 내부는 주석이나 아연으로 덮여 있었고 얼음으로 가득 차 있었다.
(tin or zinc / the inside / covered / was / and / filled with ice / with)

____

10 그들의 생존 비밀이 무엇인지 아는가?
(their secret / do / to survive / you / what / know / is)

____

05 UNIT

17 Farming Our Fish

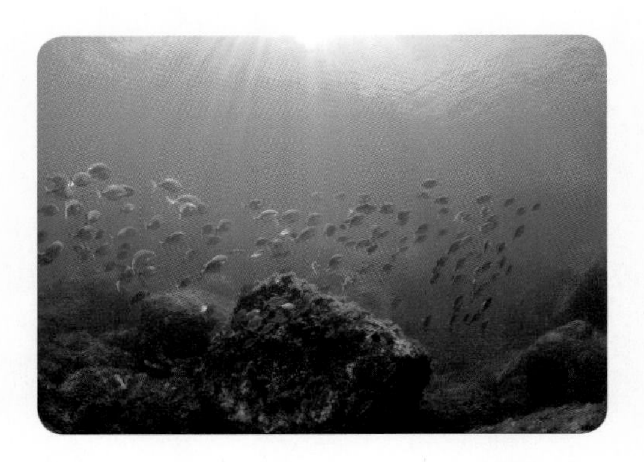

The world's population has doubled to 7.4 billion in the last 60 years. And people today eat 17kg of fish every year, more than in the past. This has put _________ pressure on fish populations. Scientists think today's oceans only have 10% of the large fish compared to the past. Some parts of the Mediterranean and North Sea are now deserts because they have so little life.

Countries have limits on how much they can catch fish. Sometimes they try to increase their limit. Experts think these limits are already too high. One solution is to farm fish. Half the world's fish today are farmed. Up to 80% of the fish eaten in China are farmed fish. But this doesn't solve all the problems.

Fish farming needs smaller fish from the wild for food. So the smaller fish are also dying out. Also, fish farms produce a lot of pollution. This pollution is usually dumped into waters and it kills more wildlife. And antibiotics in fish farms are used to <u>control</u> disease which is harmful to the environment.

*desert : 생물이 전혀 살지 않는다고 믿어지는 해역(海域)

Grammar Note

4, 8행 : 단수형과 복수형이 같은 명사
단수형과 복수형이 같은 명사들이 있음.

deer 사슴 sheep 양 salmon 연어 fish 물고기

A **sheep** <u>is</u> eating grass.
양 한 마리가 풀을 뜯고 있다.

There <u>are</u> **some sheep** on the field.
들판에 양들이 몇 마리 있다.

17행 : 수동태에서 by이외의 전치사가 사용되는 경우
수동태라고 해서 [be+p.p.] 뒤에 항상 [by+목적격]이 오는 것은 아님. by는 동작의 주체 앞에서만 사용되며 그 외에는 다른 적절한 전치사를 써야 함.

A lot of waste water **was dumped** <u>into</u> the river.
많은 폐수가 강물 속으로 버려졌다.
(They **dumped** a lot of waste water <u>into</u> the river.)

정답 p.12

1 이 글에서 언급되지 않은 내용은 무엇인가?

① 어류 양식의 문제점
② 어획량 증가의 해결책
③ 어류 양식의 과학적 발전
④ 어류 개체 수가 낮은 지역
⑤ 어류 개체 수의 감소 원인

2 이 글의 빈칸에 들어갈 말로 알맞은 것은?

① normal
② huge
③ tidy
④ mild
⑤ messy

3 오늘날 어류 양식에 대한 내용과 일치하지 않는 것은?

① 양식장은 오염 물질을 많이 배출한다.
② 양식 어류의 먹이는 더 작은 물고기들이다.
③ 세계 양식 어류의 80%가 중국에서 소비된다.
④ 양식장은 환경보호를 위해 항생 물질을 이용한다.
⑤ 양식장의 오염 물질은 다른 수생 동물에 영향을 준다.

4 이 글의 밑줄 친 control과 의미가 가장 가까운 것은?

① cure
② repair
③ measure
④ correct
⑤ manage

WORDS

population [pàpjəléiʃən] 명 인구
double [dʌ́bl] 동 두 배가 되다
put pressure on ~에 압력을 가하다
compared to ~와 비교하여
Mediterranean [mèditəréiniən] 명 지중해
desert [dézərt] 명 불모지대, 사막
limit [límit] 명 한계
increase [inkríːs] 동 늘리다, 강화하다
expert [ékspəːrt] 명 전문가
solution [səljúːʃən] 명 해결책
farm [fɑːrm] 동 사육하다, 재배하다
half [hæf] 명 반, 2분의 1
solve [sɑlv] 동 ~을 풀다, 해결하다
die out 멸종되다
produce [prədjúːs] 동 생산하다, 제조하다
pollution [pəljúːʃən] 명 오염, 오염물질
dump [dʌmp] 동 버리다
wildlife 명 야생 생물
antibiotic [æ̀ntaibaiɑ́tik] 명 항생 물질
disease [dizíːz] 명 병, 질병
harmful [hɑ́ːrmfəl] 형 해로운, 위험한
environment [inváiərənmənt] 명 환경

직독직해

People today eat / 17kg of fish / every year, / more than in the past.

Countries have / limits / on how much / they can catch fish.

Fish farming needs / smaller fish from the wild / for food.

18 Hearing Music in Color?

When you listen to music, do you hear colors? Close your eyes and listen to a piece of music. Try to relax and see if any colors come to you. Do this with your friends. You may find that you see the same colors while listening to the same music.

Some musical notes make some people see red. If you listen to harp music, you may see the color gold. As the music changes, the colors may become brighter or darker. A loud, strong note may make you see fire engine red. As it gets quiet, you may see dark red. Think about high-pitched notes. Usually people see bright colors. Then, as the note gets deeper and deeper, red might slowly turn to black. If the song gets brighter and brighter, the red might ________ white.

Sometimes even common sounds make people see colors. Do you see a color when you hear a loud alarm? Do you see colors when you hear a door close loudly? Experiment at home, and keep a record of any colors you see.

Grammar Note

5행 : 분사구문

분사구문을 만들려면 부사절의 접속사와 주어를 삭제하고, 동사를 '-ing'로 만들며, after, before, while, when, though 등의 접속사는 의미를 명확하게 하기 위해서 남겨놓기도 함.

Though living next door, I seldom see her.
[=Though I live next door, I seldom see her.]
나는 옆집에 살지만 좀처럼 그녀를 보지 못한다.

12, 13행 : 비교급 and 비교급

[비교급 and 비교급]은 '점점 더 ~한'이라는 뜻으로 점진적인 변화를 나타낼 때 사용.

It is getting colder and colder.
날씨가 점점 추워진다.

1 **이 글의 주제로 가장 알맞은 것은?**

① 색을 볼 때 사람들이 소리를 떠올리는 방법
② 음악을 들을 때 색을 보지 못하는 사람들
③ 음악을 들을 때만 색을 볼 수 있는 사람들
④ 음악을 활용한 미술 수업 방법
⑤ 음악이나 다른 소리를 들을 때 색을 보는 것

2 **이 글의 내용과 일치하지 않는 것은?**

① 같은 음악을 들으면 같은 색을 볼 수 있다.
② 하프 음악을 들으면 금색이 보일 수 있다.
③ 음악이 조용해지면 사람들은 검붉은 색을 볼 수 있다.
④ 고음을 들으면 밝은 색이 보인다.
⑤ 알람 같은 평범한 소리는 어떤 색도 보지 못하게 한다.

3 **다음 중 새빨간 색을 떠올리게 하는 것은?**

① a loud, strong note
② harp music
③ high-pitched notes
④ a loud car or home alarm
⑤ soft music

4 **이 글의 빈칸에 들어갈 말로 가장 알맞은 것은?**

① put in
② turn off
③ turn into
④ put off
⑤ turn out

WORDS

- **hear** [hiər] 동 듣다
- **a piece of** 한 조각의
- **relax** [rilǽks] 동 편하게 하다, 쉬게 하다
- **find** [faind] 동 발견하다
- **same** [seim] 형 같은, 동일한
- **while** [hwail] 접 ~하는 동안에
- **note** [nout] 명 음표
- **harp** [hɑːrp] 명 하프
- **become** [bikʌ́m] 동 ~이 되다
- **bright** [brait] 형 밝은
- **loud** [laud] 형 큰, 시끄러운
- **fire engine red** 타는 듯이 붉은
- **quiet** [kwáiət] 형 조용한
- **high-pitched** 음이 높은
- **turn to** (~한 상태로) 변하다
- **common** [kɑ́mən] 형 흔한, 공통의
- **alarm** [əlɑ́ːrm] 명 경보(음)
- **loudly** [láudli] 부 큰 소리로, 소란하게
- **experiment** [ikspérəmənt] 동 실험하다
- **keep a record** 기록하다

직독직해

Try to relax / and see / if any colors come / to you.

As the music changes, / the colors may become / brighter or darker.

As the note gets deeper and deeper, / red might turn / to black.

19 Warmer Winters

In the American Northeast, average temperatures rose by 2 degrees Fahrenheit in the 1900s. And this trend will probably continue in this century. This means more heat waves and more rainfall. This can stress out farm animals and make them produce less milk and have fewer babies. Then the farmers will make less money than before. Lots of rain can also cause floods and damage crops.

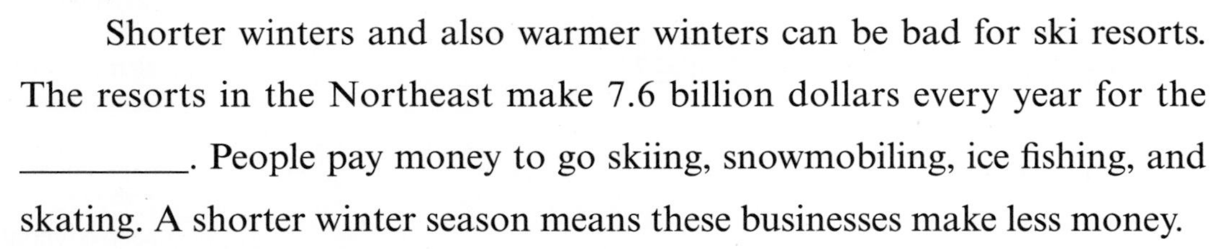

Shorter winters and also warmer winters can be bad for ski resorts. The resorts in the Northeast make 7.6 billion dollars every year for the __________. People pay money to go skiing, snowmobiling, ice fishing, and skating. A shorter winter season means these businesses make less money.

(A) The resorts can try to produce artificial snow. (B) Even if the ski resorts are open, people cannot ski if there is no snow on the ground. (C) But this takes extra time, money, and electricity. And night time temperatures must be cold enough not to melt the artificial snow. This may not be possible if the winter is too warm.

*Celsius : 섭씨

Grammar Note

14행 : no+셀 수 있는 명사/셀 수 없는 명사

no(not ~ any)는 '어떤 ~도 아닌'을 뜻하며 셀 수 있는 명사와 셀 수 없는 명사 둘 다 앞에서 수식 가능.

There are **no** apples in the basket.
바구니에는 사과가 하나도 없다.

There is **no** water in the bottle.
병에는 물이 한 방울도 없다.

16행 : enough의 위치

enough(충분한, 충분히)는 명사, 형용사, 부사를 모두 수식할 수 있음. enough는 명사 앞, 형용사/부사 뒤에 위치함.

The room is big **enough**.
방은 충분히 크다.

I have **enough** food.
나는 식량이 충분히 있다.

정답 p.13

1 이 글에서 유추할 수 있는 내용은 무엇인가?

① 미국 북동부의 집값이 내려갈 것이다.
② 소고기 가격이 상승할 것이다.
③ 따뜻한 겨울이 점점 길어진다.
④ 어떤 사업들은 날씨의 영향을 받는다.
⑤ 인공 눈을 만드는 과정이 더 쉬워진다.

2 이 글의 밑줄 친 trend가 가리키는 것은?

① evidence
② pattern
③ reason
④ mark
⑤ capital

3 이 글의 빈칸에 들어갈 말로 가장 알맞은 것은?

① social skills
② moral principle
③ local economy
④ political agreement
⑤ natural development

4 이 글의 (A)~(C)를 글의 흐름에 맞게 배열한 것은?

① (A)–(B)–(C)
② (A)–(C)–(B)
③ (B)–(A)–(C)
④ (C)–(A)–(B)
⑤ (C)–(B)–(A)

WORDS

average [ǽvəridʒ] 형 평균의
temperature [témpərətʃər] 명 온도, 기온
degree [digríː] 명 (온도의) 도
Fahrenheit [fǽrənhàit] 명 화씨
continue [kəntínju(ː)] 동 계속하다
mean [miːn] 동 의미하다
heat wave 무더위
rainfall [réinfɔ̀ːl] 명 강수량
stress out 스트레스를 주다
produce [prədjúːs] 동 생산하다
have baby 아기를 갖다
flood [flʌd] 명 홍수
damage [dǽmidʒ] 동 손상시키다
crop [krɑp] 명 작물, 수확물
artificial [ɑ̀ːrtəfíʃəl] 형 인공적인, 인공의
ground [graund] 명 지면, 땅
extra [ékstrə] 형 여분의
electricity [ilektrísəti] 명 전기
melt [melt] 동 녹다, 녹이다
possible [pɑ́səbl] 형 가능한, 있을 수 있는

직독직해

Lots of rain can also cause / floods / and damage crops.

Shorter winters and also warmer winters / can be bad / for ski resorts.

A shorter winter season means / these businesses make / less money.

---

20 An Underground City

Have you ever wanted to live underground? It doesn't sound like a great idea to most humans because we naturally like sunlight and fresh air. If living underground appeals to you, visit Derinkuyu. Derinkuyu is an ancient subterranean city in Turkey. In this underground city, there were houses, churches, animal shelters, storerooms for food, and places to eat. In fact, the city of Derinkuyu was so elaborate and well-maintained that 50,000 people could comfortably live there. People lived in Derinkuyu to hide from the government of Rome and to escape religious mistreatment. Some of those who lived in this underground world spent their entire lives there without ever going up to the surface.

Derinkuyu is a popular tourist attraction today. Many tourists are curious about life underground. However, when the _________ is over, most tourists are happy to see the blue skies and bright sun again.

*Derinkuyu : 데린쿠유

Grammar Note

1행 : 경험을 나타내는 현재완료

현재완료(have[has]+p.p.)는 '~한 적이 있다'라는 경험의 의미를 나타내며 주로 ever, never, once, twice, before 등의 부사와 함께 쓰임.

I **have** never **visited** India.
나는 인도에 한 번도 가본 적이 없다.

She **has learned** Spanish before.
그녀는 전에 스페인어를 배운 적이 있다.

5행 : 주어 역할을 하는 동명사

동명사가 문장에서 주어로 쓰일 때 단수취급을 하므로 단수 동사를 사용.

Swimming in this river is very dangerous.
이 강에서 수영하는 것은 매우 위험하다.

Playing tennis is very fun.
테니스를 치는 것은 매우 재미있다.

정답 p.13

1 이 글의 주제로 가장 알맞은 것은?

① creatures that live underground
② life underground in the city of Derinkuyu
③ the discovery of an ancient building in Turkey
④ famous underground cities in Rome
⑤ tourist attractions in Rome

2 이 글의 빈칸에 들어갈 말로 가장 알맞은 것은?

① trade
② economy
③ research
④ sightseeing
⑤ industry

3 Derinkuyu에 대한 내용과 일치하는 것은?

① 오십만 명을 수용할 수 있었다.
② 최근보다 예전에 인기가 더 있었다.
③ 시체를 보관하는 장소로 사용되었다.
④ 고대 로마 사람들이 세웠다.
⑤ 평생 그곳에서 살았던 사람들도 있었다.

4 사람들이 Derinkuyu에 살았던 이유가 무엇인지 우리말로 쓰시오.

____

WORDS

underground [ʌ̀ndərgráund] 부 지하에, 지하로
naturally [nǽtʃərəli] 부 자연적으로, 선천적으로
sunlight [sʌ́nlàit] 명 햇빛
fresh [freʃ] 형 신선한
appeal [əpíːl] 동 마음에 들다, 흥미를 끌다
ancient [éinʃənt] 형 고대의
subterranean [sʌ̀btəréiniən] 형 지하의, 지하에 있는
shelter [ʃéltər] 명 보호소
storeroom [stɔ́ːrrù(ː)m] 명 저장소
in fact 사실상
elaborate [ilǽbərit] 형 정교한, 정성을 들인
comfortably [kʌ́mfərtəbli] 부 편안하게
hide [haid] 동 숨다
government [gʌ́vərnmənt] 명 정부
escape [iskéip] 동 달아나다, 탈출하다
religious [rilídʒəs] 형 종교의
mistreatment [mìstríːtmənt] 명 학대, 혹사
entire [intáiər] 형 전체의
surface [sɔ́ːrfis] 명 표면, 겉
tourist attraction 관광 명소
curious [kjú(ː)əriəs] 형 궁금한, 호기심이 많은

직독직해

If living underground appeals / to you, / visit Derinkuyu.

____

Derinkuyu is / an ancient subterranean city / in Turkey.

____

Most tourists are happy / to see the blue skies / again.

____

Review Test

정답 p.14

[1~2] 밑줄 친 단어와 비슷한 의미의 단어를 고르시오.

1 Drinking dirty water can cause diseases.

① illness ② drugs ③ cures ④ death ⑤ vaccines

2 We spent the entire day at home.

① most ② some ③ whole ④ zero ⑤ half

[3~5] 빈칸에 알맞은 단어를 〈보기〉에서 찾아 쓰시오.

보기	elaborate	temperature	dump	artificial	experiment

3 I saw someone ____________ trash in the river.

4 Some students are doing a(n) ____________ in a laboratory.

5 These candies contain ____________ flavors.

6 밑줄 친 부분의 쓰임이 다른 하나를 고르시오.

① Being a teacher is not easy.
② Feeling tired, he went to bed.
③ Kevin likes meeting new people.
④ I am interested in joining a soccer club.
⑤ My dream is becoming an actor.

[7~8] 밑줄 친 부분을 어법에 맞게 고쳐 쓰시오.

7 Salmons swim upstream to lay eggs.

____

8 I have money enough.

____

[9~10] 우리말과 뜻이 같도록 주어진 단어를 배열하여 문장을 완성하시오.

9 밤 온도는 인공 눈이 녹지 않을 정도로 충분히 추워야 한다.
(enough / must / be cold / not to melt / night time temperatures / the artificial snow)

____

10 데린쿠유는 너무나 정교해서 5만 명이 그곳에서 편히 살 수 있었다.
(50,000 people / was / comfortably live / so elaborate / Derinkuyu / that / could / there)

____

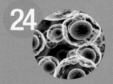

06 UNIT

21 A Country from Africa

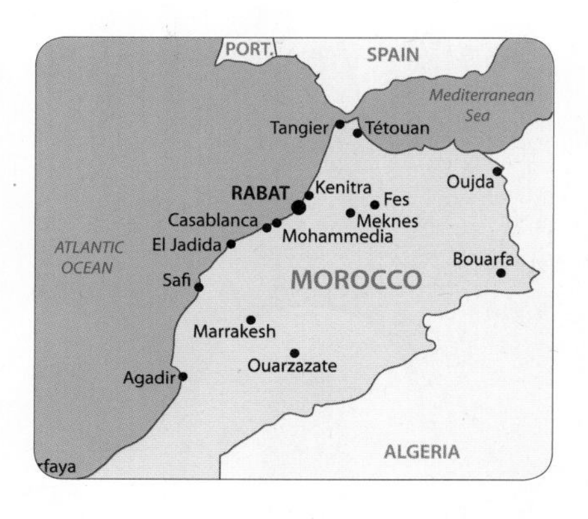

Morocco sits on the northwest coast of Africa, very close to Spain and Algeria. Its capital is Rabat but its largest city is Casablanca. It has a coast on both the Mediterranean Sea and the Atlantic Ocean. It has mountains but also large deserts. A number of wadis, or seasonal rivers, flow south from the mountains into the deserts. Local people use them to grow crops.

The official languages are Arabic and the native language Berber. Almost everyone can speak Arabic, but a third speaks Berber and a third speaks French. French is taught in all schools. That's because Morocco used to be a colony of France until 1956. Some learn English and some in the north speak Spanish.

The English name Morocco comes from the Spanish name Marruecos. The Latin name was Marrakesh which means "Land of God." It is still called this in Iran, Pakistan, and some parts of India. The Arabic name Al-Maghrib means "Kingdom of the West." Morocco has an Islamic culture along with other North African countries. The biggest event in the Moroccan calendar is Ramadan.

Grammar Note

11행 : 분수 표현하기

분수를 표현할 때에는 분자는 기수로, 분모는 서수로 표현. 분자가 2이상일 때에는 분모를 복수형(-s)으로 만듦. 분자가 1일 때에는 one 대신 a를 쓰기도 함.

one[=a] third 3분의 1
two thirds 3분의 2
nine tenths 10분의 9

13행 : used to+동사원형

used to는 '~하곤 했다, ~이었다'는 의미로 쓰이는 조동사. 이것은 과거에는 존재했지만 지금은 더 이상 존재하지 않을 때, 또는 과거에는 습관적으로 했지만 지금은 더 이상 하지 않는 행동을 나타낼 때 사용.

There used to be a big tree in front of the house.
집 앞에 큰 나무가 있었다. (지금 그 나무는 없다.)

Kevin used to go swimming every day.
케빈은 매일 수영을 하곤 했다. (지금은 하지 않는다.)

정답 p.14

1 모로코에 대한 내용과 일치하지 않는 것은?

① 지리적으로 알제리와 가깝다.
② 다양한 언어가 사용되고 있다.
③ 대부분의 사람들이 아랍어를 한다.
④ 사막과 바다를 모두 볼 수 있다.
⑤ 인도의 일부에서는 '서쪽의 왕국'이라 부른다.

2 이 글의 밑줄 친 sits와 의미가 가장 가까운 것은?

① is united
② is located
③ is created
④ is separated
⑤ is constructed

3 이 글의 밑줄 친 them이 가리키는 것은?

① mountains
② crops
③ rivers
④ seasons
⑤ deserts

4 일부 모로코인들이 프랑스어를 하는 이유는 무엇인가?

① 프랑스와 지리적으로 근접하기 때문에
② 과거에 프랑스에 정복당한 적이 있기 때문에
③ 프랑스어와 공용어가 비슷하기 때문에
④ 모로코에 프랑스 이민자들이 많이 살기 때문에
⑤ 스페인어나 영어보다 배우기 쉽기 때문에

WORDS

coast [koust] 명 해안, 해변
capital [kǽpitəl] 명 수도
Mediterranean sea 지중해
Atlantic ocean 대서양
desert [dézərt] 명 사막
wadi [wɑ́di] 명 와디, 물이 마른 강
seasonal [síːzənəl] 형 계절의, 한 철의
flow [flou] 동 흐르다
local [lóukəl] 형 지역의, 지방의
crop [krɑp] 명 작물
official language 공용어
native language 모국어
colony [kɑ́ləni] 명 식민지
come from ~에서 오다
land [lænd] 명 땅, 나라
God [gɑd] 명 신
kingdom [kíŋdəm] 명 왕국
event [ivént] 명 행사, 사건
calendar [kǽləndər] 명 달력

직독직해

Its capital is / Rabat / but its largest city is / Casablanca.

That's because / Morocco used to be / a colony of France.

The biggest event / in the Moroccan calendar / is Ramadan.

22 People of the North

The Inuit are people who are living in the Arctic regions of Canada, Greenland, and Alaska. In some areas, the Inuit people are called Eskimo. Whales, walruses, seals, and fish have been staples of their diet for centuries. A sled is a very important means of transportation for the Inuit. When they travel from one place to another, they use these sleds pulled by dogs.

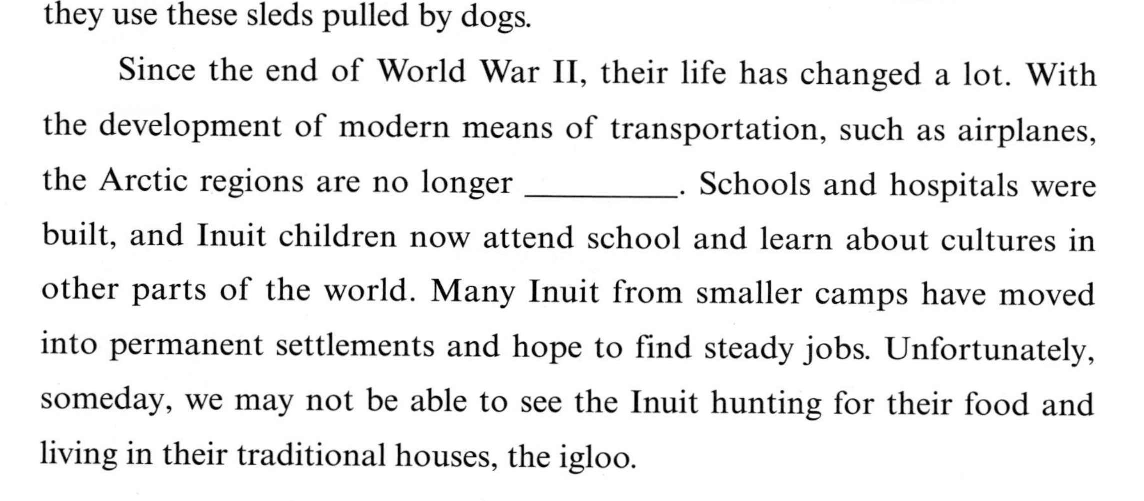

Since the end of World War II, their life has changed a lot. With the development of modern means of transportation, such as airplanes, the Arctic regions are no longer __________. Schools and hospitals were built, and Inuit children now attend school and learn about cultures in other parts of the world. Many Inuit from smaller camps have moved into permanent settlements and hope to find steady jobs. Unfortunately, someday, we may not be able to see the Inuit hunting for their food and living in their traditional houses, the igloo.

Grammar Note

5, 10행 : 현재완료의 계속적 용법
과거에 시작된 일이 현재까지 지속될 때 현재완료를 사용하며, for나 since 등이 이끄는 부사구(절)와 자주 사용됨.

Kevin **has studied** history **for** 5 years.
케빈은 5년 동안 역사를 공부해 왔다.

Julia **has worked** as a teacher **since** she came to Korea.
줄리아는 한국에 온 이래로 쭉 선생님으로 근무해왔다.

7, 11행 : -s로 끝나지만 단수 취급하는 명사
명사 중에는 -s로 끝나 복수형으로 보이지만 단수 취급하는 명사들이 있음에 유의.

economics 경제학
linguistics 언어학
mathematics 수학
politics 정치학
news 소식

정답 p.15

1 이 글의 제목으로 가장 알맞은 것은?

① Eskimo's Traditional House, the Igloo
② The Inuit People Living in the Far North
③ People Who Live in the Antarctic
④ Decline in the Inuit Population
⑤ Canada's Northern Territories

2 이 글에서 유추할 수 있는 내용은 무엇인가?

① 이누이트족 실업자가 늘고 있다.
② 전통적인 이누이트족의 생활 방식이 사라질지도 모른다.
③ 이누이트족은 모두 좀 더 따뜻한 지역으로 옮겨야 한다.
④ 이누이트족은 영어를 읽고 쓸 수 없다.
⑤ 이누이트족은 주식으로 물고기만 먹는다.

3 이 글의 밑줄 친 means와 의미가 가장 가까운 것은?

① place ② wealth
③ method ④ present
⑤ meaning

4 이 글의 빈칸에 들어갈 말로 가장 알맞은 것은?

① extremely cold
② an area to search
③ appropriate for life
④ comfortable to live
⑤ impossible to reach

WORDS

Arctic [ɑ́:rktik] 형 북극의
region [rí:dʒən] 명 지역, 지방
area [ɛ́əriə] 명 지역, 지방
walrus [wɔ́:lrəs] 명 바다코끼리
staple [stéipl] 명 주요 식품, 주요 산물
sled [sled] 명 썰매
transportation [træ̀nspərtéiʃən] 명 교통
pull [pul] 동 끌다, 잡아당기다
development [divéləpmənt] 명 발달, 발전
modern[mɑ́dərn] 형 현대의
no longer 더 이상 ~이 아닌
attend [əténd] 동 ~에 다니다
move into ~로 이사하다
permanent [pə́:rmənənt] 형 영구적인
settlement [sétlmənt] 명 정착, 정착지
steady [stédi] 형 안정된, 확고한
hunt for ~을 사냥하다
traditional [trədíʃənəl] 형 전통적인
territory [térətɔ̀:ri] 명 영토, 영역

직독직해

Whales and fish have been / staples of their diet / for centuries.

A sled is / a very important means / of transportation / for the Inuit.

Inuit children now learn / about cultures / in other parts of the world.

---

23 A Modern Day Treasure Hunter

Greg Stemm has a perfect job. He is a professional treasure hunter seeking out lost treasures. He is a true modern-day pioneer in deep-water search and recovery. Mr. Stemm describes his job in a simple way: “We find and recover shipwrecks from the deep ocean.”

That’s right. Mr. Stemm looks for sunken ships full of unbelievable treasures. He uses sonar, satellite maps, and other modern technology to locate wrecked ships. Mr. Stemm and his company, Odyssey Marine Exploration, spend all their time looking for deep-ocean treasures.

One of the most recent discoveries was in the Atlantic Ocean. They found a 200-year-old Spanish ship with an estimated $500 million of gold and silver there. He sells the gold, silver, and artifacts to finance the next “find and recover.”

_________ there are dangers, Mr. Stemm continues his adventurous job. He still has many places left to search. He guesses that there are still 3,000 possible locations. There are a lot of gold and silver coins waiting to be found!

Grammar Note

1, 4행 : 단순현재 시제

현재의 상태나 습관, 불변의 진리, 일반적인 사실 등을 나타낼 때에는 단순 현재 시제를 사용.

She **works** as a lawyer.
그녀는 변호사로 일하고 있다.

The sun **sets** in the west.
해는 서쪽으로 진다.

7행 : [관계대명사+be동사]의 생략

관계사절이 [주격 관계대명사+be동사]의 형태를 취하는 경우 관계사와 be동사는 생략 가능.

I have a friend (who is) from France.
나는 프랑스 출신인 친구가 있다.

There is a lamp (that is) hanging on the ceiling.
천장에 매달려 있는 램프가 있다.

정답 p.15

1 이 글에서 Stemm 씨는 어떻게 가라앉은 보물을 찾는가?

① 바다 깊은 곳을 수영해서
② 난파선 주변을 파헤쳐서
③ 공예품들을 조사해서
④ 음파 탐지기와 위성지도를 사용해서
⑤ 난파선이 난파된 시간을 추정해서

2 난파선에서 발견된 금과 은에 대해 유추할 수 있는 것은?

① They are the cause of sunken ships.
② They are too heavy to take on boats.
③ They are worth a lot of money.
④ They are too hard to sell.
⑤ They are eaten by fish.

3 이 글의 빈칸에 들어갈 말로 가장 알맞은 것은?

① As a result
② Therefore
③ Even though
④ In contrast
⑤ Because

4 이 글의 밑줄 친 They가 가리키는 것을 찾아 영어로 쓰시오.

____

WORDS

perfect [pə́ːrfikt] 형 완전한, 완벽한
professional [prəféʃənəl] 형 직업의, 프로의
treasure [tréʒər] 명 보물
seek out ~을 찾아내다
pioneer [pàiəníər] 명 개척자, 선구자
search [səːrtʃ] 명 수색, 조사
recovery [rikʌ́vəri] 명 복원, 회수
describe [diskráib] 동 말하다, 서술하다
shipwreck [ʃíprèk] 명 난파선, 난파
ocean [óuʃən] 명 대양, 해양
sunken [sʌ́ŋkən] 형 침몰한, 가라앉은
unbelievable [ʌ̀nbilíːvəbl] 형 믿을 수 없는, 믿기 어려운
sonar [sóunaːr] 명 수중 음파 탐지기
satellite [sǽtəlàit] 명 위성
technology [teknálədʒi] 명 기술
locate [lóukeit] 동 (위치를) 알아내다, 찾아내다
wrecked [rekt] 형 난파된
discovery [diskʌ́vəri] 명 발견, 발견물
estimated [éstəmèitid] 형 추측의, 어림잡은
artifact [áːrtəfæ̀kt] 명 공예품
finance [fənǽns] 동 자금을 대다
danger [déindʒər] 명 위험
adventurous [ədvéntʃərəs] 형 모험적인

직독직해

He is / a modern-day pioneer / in deep-water search and recovery.

____

We find and recover / shipwrecks / from the deep ocean.

____

He guesses that / there are still / 3,000 possible locations.

____

24 Abnormal Cells

There are over 100 different types of cancer including breast cancer, skin cancer, lung cancer, etc. The symptoms vary according to the cancer. But in all cases, finding the cancer early is the key to treating and possibly curing it. There are four stages of cancer growth. Stage 1 is the earliest and stage 4 is the highest. The common treatments for cancer are surgery, chemotherapy, and radiation.

Cancer cells can spread in their local area or even travel to other parts of the body. And they can make surrounding cells produce new blood vessels to feed them oxygen and nutrients. The body has an immune system that removes abnormal cells. But some cancer cells can hide from the immune system.

Cancer is the abnormal growth of cells. It is caused by genetic changes that make cancer cells grow uncontrollably. It can start anywhere in the body. Cancer cells grow into masses of cells called tumors. In the case of leukemia, it is a cancer of the blood and there are no solid tumors.

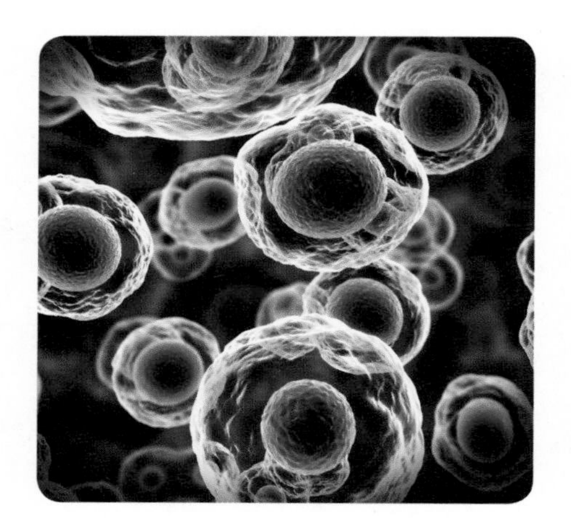

Grammar Note

1행 : there+be동사

[there+be동사]는 '~이 있다'는 의미로 존재 유무를 나타내며, 주로 어떤 대상을 처음 소개할 때 사용. 뒤에 따라 나오는 명사가 단수면 단수 동사를, 복수면 복수 동사를 사용.

There is a baby bird in the nest.
둥지에 아기 새 한 마리가 있다.

There are three baby birds in the nest.
둥지에 아기 새 세 마리가 있다.

5행 : 전치사의 역할

전치사는 명사와 함께 쓰여서 부사 또는 형용사 역할을 함.

I went to school. (장소 부사구)
나는 학교에 갔다.

I must find a solution to the problem.
(solution을 수식하는 형용사구)
나는 그 문제에 대한 해결책을 찾아야 한다.

A man with a mustache is sitting at the table.
(a man을 수식하는 형용사구)
콧수염이 있는 남자가 테이블에 앉아 있다.

정답 p.16

1 이 글에서 언급되지 않은 내용은 무엇인가?

① 암의 치료 방법
② 암 성장의 단계
③ 암세포의 특징
④ 면역 체계의 역할
⑤ 혈관의 화학적 구조

2 암세포에 대한 내용 중 사실이 아닌 것은?

① 주변 지역으로 확산될 수 있다.
② 인체 어디에서든 생겨날 수 있다.
③ 주변 세포들로부터 영양분을 공급받는다.
④ 암세포로부터 변한 종양은 모두 고형 물질이다.
⑤ 일부는 인체의 면역 체계로부터 숨는 특징이 있다.

3 이 글의 밑줄 친 masses와 의미가 가장 가까운 것은?

① solids
② groups
③ coverings
④ liquids
⑤ flows

4 암세포들이 비정상적으로 성장하는 요인은 무엇인지 우리말로 쓰시오.

____

WORDS

cancer [kǽnsər] 명 암
including [inklúːdiŋ] 전 ~을 포함하여
symptom [símptəm] 명 증상
vary [vέ(ː)əri] 동 다양하다
cure [kjuər] 동 ~을 치료하다
growth [grouθ] 명 성장
treatment [tríːtmənt] 명 치료, 처치
surgery [sə́ːrdʒəri] 명 외과 수술
chemotherapy [kiːmouθérəpi] 명 화학 요법
radiation [rèidiéiʃən] 명 방사선
cell [sel] 명 세포
spread [spred] 동 퍼지다
surrounding [səráundiŋ] 형 주위의, 근처의
blood vessel 혈관
oxygen [ɑ́ksidʒən] 명 산소
nutrient [njúːtriənt] 명 영양분
immune system 면역 체계
remove [rimúːv] 동 제거하다
abnormal [æbnɔ́ːrməl] 형 비정상의, 이상한
genetic [dʒənétik] 형 유전의
tumor [tjúːmər] 명 종양
leukemia [ljuː(ː)kíːmiə] 명 백혈병
solid [sɑ́lid] 형 고체의, 고형의

직독직해

The symptoms vary / according to the cancer.

____

Some cancer cells / can hide / from the immune system.

____

Cancer cells grow / into masses of cells / called tumors.

____

Review Test

정답 p.16

[1~2] 밑줄 친 단어와 반대 의미의 단어를 고르시오.

1 They were very brave in the face of danger.

① silence ② calm ③ joy ④ safety ⑤ crowd

2 Water becomes solid when the temperature drops below 0°C.

① hot ② cold ③ warm ④ cool ⑤ liquid

[3~5] 빈칸에 알맞은 단어를 〈보기〉에서 찾아 쓰시오.

보기	development	native	attend	surgery	vary

3 My ____________ language is Korean, but I can also speak English.

4 She is recovering fast after having a(n) ____________.

5 About 10 people will ____________ the meeting.

6 **밑줄 친 부분의 쓰임이 다른 하나를 고르시오.**

① Is there anyone here?
② Mr. Kim is waiting over there.
③ There are a lot of mountains in Korea.
④ There are many things to do here.
⑤ Is there a restaurant nearby?

[7~8] 밑줄 친 부분을 어법에 맞게 고쳐 쓰시오.

7 Josh ate two third of the oranges in the basket.

____

8 Mathematics are my favorite subject.

____

[9~10] 우리말과 뜻이 같도록 주어진 단어를 배열하여 문장을 완성하시오.

9 그것은 암세포들을 걷잡을 수 없이 자라게 하는 유전적 변화들에 기인한다.
(cancer cells / caused by / that / genetic changes / make / grow uncontrollably / it is)

____

10 이누이트족은 북극 지방에 살고 있는 사람들이다.
(are living / who / are / people / the Inuit / in the Arctic regions)

____

07 UNIT

25 Magnetic World

The word "magnet" is an old Greek word from at least 600 BC. There are two theories about the origin of this word. One is that a Greek shepherd named Magnes discovered natural magnets called lodestones with his staff. The more believable theory is that it comes from the city Magnesia in ancient Turkey. That city had a lot of lodestones.

Magnets produce a magnetic field that can attract or push away other magnetic materials such as iron, nickel, or cobalt. Other metals such as aluminum, copper, silver, or gold are only very weakly affected by magnets. And a magnetic field has no effect on materials such as glass or plastic.

The Earth itself is a giant magnet. The core of the Earth has iron in it so the planet has a magnetic field surrounding it. This magnetic field protects the planet from solar radiation. ____(A)____ it, we would ____(B)____ unsafe levels of cosmic rays from the sun.

Grammar Note

2, 4행 : 명사절 접속사 that

that은 '~하는 것'이라는 뜻으로 [주어+동사] 형태의 절이 that 뒤에 쓰여 문장에서 주어, 목적어, 보어 자리에 쓰임.

He said **that** he is sick. (목적어)
그는 아프다고 말했다.

My hope is **that** we can see each other again. (주격보어)
나의 소망은 우리가 다시 만나는 것이다.

10행 : 재귀대명사의 강조용법

재귀대명사는 (대)명사를 강조하기 위해서 사용됨. 이때 재귀대명사를 생략해도 뜻은 변하지 않음.

I **myself** emailed Tony.
내가 직접 토니에게 이메일을 썼다.

정답 p.17

1 **이 글의 내용과 일치하지 않는 것은?**

① 지구 핵 안에 있는 철에서 자기장이 나온다.
② 자석이라는 단어의 기원은 두 가지가 전해진다.
③ 자철석은 모든 금속 중에 가장 무겁다.
④ 우리는 지구 자기장의 혜택을 받는다.
⑤ 특정 금속들 중 자석의 영향을 덜 받는 것도 있다.

2 **이 글의 밑줄 친 it이 가리키는 것은?**

① the lodestones
② the shepherd
③ the word "magnet"
④ the staff
⑤ the discovery

3 **자기장에 의해 강하게 영향을 받는 물질은 무엇인가?**

① 알루미늄
② 구리
③ 금
④ 코발트
⑤ 은

4 **빈칸 (A)와 (B)에 들어갈 말로 가장 알맞은 것은?**

	(A)	(B)
①	With	take
②	Without	receive
③	With	gather
④	Without	block
⑤	Without	reflect

WORDS

magnet [mǽgnit] 명 자석
at least 적어도
theory [θí(:)əri] 명 이론, 원리
origin [ɔ́(:)ridʒin] 명 기원, 근원
shepherd [ʃépərd] 명 목동, 양치기
discover [diskʌ́vər] 동 발견하다
natural [nǽtʃərəl] 형 자연의
lodestone [lóudstòun] 명 자철석
believable [bilí:vəbl] 형 믿을 수 있는
magnetic field 자기장
attract [ətrǽkt] 동 ~을 끌다, 끌어당기다
material [mətí(:)əriəl] 명 구성 물질, 재료
iron [áiərn] 명 철
metal [métəl] 명 금속
copper [kápər] 명 구리
affect [əfékt] 동 ~에 영향을 미치다
core [kɔːr] 명 중심(부), 핵
the planet 지구
surround [səráund] 동 둘러싸다
protect [prətékt] 동 보호하다, 지키다
radiation [rèidiéiʃən] 명 복사열
cosmic ray 우주 광선

직독직해

The word "magnet" is / an old Greek word / from at least 600 BC.

A magnetic field has no effect / on materials / such as glass or plastic.

This magnetic field protects / the planet / from solar radiation.

26 First to the Pole

Before human beings dreamed of going to outer space, the most exciting adventure was the race to reach the North Pole. Robert Peary and Frederick A. Cook were friends and worked together on an expedition to the north. Their friendship ended in anger, however.

Peary did not want to share his fame with Cook. Each man set out on his own exploration of the Arctic. Peary announced his trip in newspapers while Cook kept his plans a secret. After eight months, Peary claimed victory on March 1, 1909. His happiness melted when he returned home to find that Cook also claimed victory on April 21, 1908, a full year before Peary!

They accused each other of lying. Cook did not have any papers or people to support him, and his claim was rejected. Peary had many notes that he had written to support his claim, but no one could be sure if <u>they</u> were true. Because Peary was very famous, many people believed his story. Unfortunately, both men died without a true victory.

Grammar Note

3, 9행 : to부정사의 역할

to부정사는 문장 안에서 명사, 형용사, 부사의 역할을 함.

My job is **to sell** tickets. (명사적 용법: 보어)
내 일은 표를 파는 것이다.

She gave me a book **to read**. (형용사적 용법)
그녀는 나에게 읽을 책을 주었다.

I woke up **to find** myself famous. (부사적 용법: 결과)
나는 하룻밤 사이에 유명해져 있었다.

11행: 접속사 while의 용법

접속사 while은 '~하는 동안에'를 뜻하는 시간의 의미와 '~에 반하여, ~인데도'를 뜻하는 대조와 양보의 의미로 쓰임.

While <u>he was sleeping</u>, he had a scary dream.
그는 잠을 자는 동안 무서운 꿈을 꾸었다. (시간의 접속사)

While <u>I wanted to buy a dog</u>, my parents were against it.
나는 강아지 한 마리를 사고 싶었지만 우리 부모님은 반대했다.
(양보의 접속사)

정답 p.17

1 이 글의 주제로 가장 알맞은 것은?

① 북극 탐험의 위험
② 두 친구의 북극 탐험
③ 북극에 살고 있는 사람들
④ 두 친구의 변하지 않는 우정
⑤ 1900년대 초의 북극 풍경

2 다음 중 Cook에 대한 내용과 일치하는 것은?

① 1909년에 북극 탐험의 승리를 주장했다.
② 자신의 북극 탐험 계획을 비밀로 했다.
③ 북극 탐험 이후에 피어리를 옹호했다.
④ 피어리와 같이 북극 탐험을 시작했다.
⑤ 언론으로부터 엄청나게 많은 지지를 받았다.

3 이 글의 밑줄 친 they가 가리키는 것은?

① people
② friends
③ newspapers
④ many notes
⑤ Cook and Peary

4 많은 사람들이 Peary의 주장을 믿은 이유가 무엇인지 우리말로 쓰시오.

____

WORDS

- **outer** [áutər] 형 외부의, 밖의
- **adventure** [ədvéntʃər] 명 모험, 모험심
- **race** [reis] 명 경주, 경쟁
- **reach** [riːtʃ] 동 ~에 이르다, 도착하다
- **expedition** [èkspidíʃən] 명 탐험
- **friendship** [fréndʃip] 명 우정
- **end** [end] 동 끝나다
- **anger** [ǽŋgər] 명 분노, 화
- **share A with B** A를 B와 공유하다
- **fame** [feim] 명 명성, 평판
- **set out** 시작하다, 착수하다
- **exploration** [èkspləréiʃən] 명 탐사, 탐험
- **Arctic** [áːrktik] 명 북극
- **announce** [ənáuns] 동 발표하다, 알리다
- **claim** [kleim] 동 주장하다
- **victory** [víktəri] 명 승리
- **happiness** [hǽpinis] 명 행복
- **melt** [melt] 동 녹다, 녹이다
- **accuse A of B** A에게 B라고 비난하다
- **support** [səpɔ́ːrt] 동 지지하다, 버티다
- **reject** [ridʒékt] 동 거절하다, 거부하다
- **unfortunately** [ʌnfɔ́ːrtʃənitli] 부 불행하게도

직독직해

The most exciting adventure / was the race / to reach the North Pole.

____

Each man set out / on his own exploration / of the Arctic.

____

Cook did not have / any papers or people / to support him.

____

27 Penguins

Penguins are much loved by people all over the world. Most penguins feed on krill, fish, squid, and other forms of sea life. Almost all penguins are black and white. This helps __________ them safe from predators: the black blends in with the color of the ocean floor, and the white matches the color of the upper ocean, so predators can't see them. (A)

(B) There are twenty different species of penguins around the world, but you won't find penguins at the North Pole. (C) In fact, all penguins live in the southern hemisphere. (D) You won't always find them on cold, icy islands, either. (E) Many live on warm, green islands far away from the frozen land of Antarctica.

Penguins come in all shapes and sizes, too. The Emperor Penguin is the biggest penguin. It stands more than a meter tall and weighs about 75 kilograms. The smallest penguin is the Fairy Penguin. It stands about 40 centimeters tall and weighs only one kilogram.

Grammar Note

3행 : almost

almost는 빈도, 수량 등을 나타내는 표현 앞에서 '거의'라는 의미로 쓰임.

Almost everyone was present at the meeting.
거의 모든 사람들이 회의에 참석했다.

She is almost always late.
그녀는 거의 언제나 늦는다.

10, 11행 : 일반적인 진리를 나타내는 will

will은 미래 시제를 나타내기도 하지만, 일반적인 진리를 나타낼 때에도 쓰임. 부정형은 will not[won't].

Oil will float on water.
기름은 물에 뜬다.

정답 p.18

1 두 번째 문단의 요지로 가장 알맞은 것은?

① what penguins eat
② where penguins live
③ how endangered penguins are
④ many different species of penguins
⑤ why penguins like to swim in the ocean

2 이 글의 빈칸에 들어갈 말로 가장 알맞은 것은?

① push
② see
③ fight
④ keep
⑤ show

3 다음 문장이 들어가기에 가장 알맞은 곳은?

Some penguins even live near the equator.

① (A)
② (B)
③ (C)
④ (D)
⑤ (E)

4 다음 중 펭귄에 대해 사실이 아닌 것은?

① 펭귄의 평균 몸무게는 75킬로그램이다.
② 가장 큰 펭귄은 1미터가 넘는다.
③ 펭귄은 바다 생물을 주식으로 한다.
④ 펭귄은 북반구에 살지 않는다.
⑤ 세상에는 스무 종의 펭귄들이 있다.

WORDS

feed on ~을 먹이로 하다
krill [kril] 명 크릴새우
squid [skwid] 명 오징어
predator [prédətər] 명 포식자
blend in ~와 섞이다
floor [flɔːr] 명 바닥
match [mætʃ] 동 어울리다
different [dífərənt] 형 다른, 별개의
species [spíːʃiːz] 명 종
hemisphere [hémisfiər] 명 반구
island [áilənd] 명 섬
equator [ikwéitər] 명 적도
far away 멀리, 훨씬 멀리에
frozen [fróuzən] 형 얼어붙은
Antarctica [æntáːrktikə] 명 남극 대륙
emperor [émpərər] 명 황제
stand [stænd] 동 (키가) ~이다
weigh [wei] 동 (무게가) ~이다

직독직해

Penguins / are much loved / by people / all over the world.

You won't find / penguins / at the North Pole.

It / stands about 40 centimeters tall / and weighs only one kilogram.

---

28 Mobile Schools

Do you sometimes wish you didn't have to go to school? Do you sometimes wish there was no school? Many towns in the world are so poor that they can't build schools. So, instead mobile schools go to these towns. The mobile schools are sometimes in boats, sometimes in buses, and sometimes they are teachers with school books who travel to the villages on horses or other animals. A mobile school means one school is used to teach children in many different places. Because of this, mobile schools can provide basic education to a lot of people.

In Bangladesh, mobile schools educate over one million children. The children learn to read, write, and do math, and they even learn computer skills. Computer labs and computer teachers travel the jungle rivers in Bangladesh. Each week, when the boat labs arrive, the children joyfully rush to class. They feel lucky to learn computer skills in villages that don't even have electricity. So, next time you complain about school, remember how lucky you are.

Grammar Note

1, 3행 : wish를 이용한 가정법 과거

wish뒤에 [주어+동사]가 있는 절이 나올 때에는 주로 과거나 과거 완료 시제가 나오며, 과거 시제의 경우 현재 사실의 반대를 가정함.

I wish I were in Paris.
내가 파리에 있다면 좋을 텐데.

I wish I had a house with a beautiful garden.
나에게 아름다운 정원이 있는 집이 있다면 좋을 텐데.

16행 : to부정사의 부사적 용법

to부정사가 부사적 용법으로 쓰여 감정 형용사(happy, sorry, glad 등)를 수식하는 경우 감정의 원인을 나타냄.

I'm very happy to see you again.
너를 다시 만나서 반가워.

I'm sorry to hear that.
그 말을 들으니 유감스럽다.

정답 p.18

1 이 글의 주제로 가장 알맞은 것은?

① 이동 학교의 기원과 역사
② 방글라데시의 교육 수준
③ 이동 학교의 기능
④ 방글라데시의 자연 환경
⑤ 알맞은 이동 학교를 고르는 방법

2 이 글의 밑줄 친 educate와 의미가 가장 가까운 것은?

① impress ② bend
③ broadcast ④ instruct
⑤ spend

3 이 글에서 유추할 수 있는 내용은 무엇인가?

① Bangladesh is a country with rivers.
② Mobile schools do not exist in other countries.
③ Computer skills are the most important in Bangladesh.
④ All schools in Bangladesh are mobile schools.
⑤ Mobile schools have more subjects than any other school.

4 방글라데시에서 이동 컴퓨터실을 어디에서 발견할 수 있는지 우리말로 쓰시오.

____

WORDS

wish [wiʃ] ⑧ 바라다, 기원하다
town [taun] ⑨ 마을, 도시
build [bild] ⑧ 짓다, 세우다
instead [instéd] ⑨ 대신에
village [vílidʒ] ⑨ 마을, 촌락
mean [miːn] ⑧ 의미하다
provide [prəváid] ⑧ 공급하다, 제공하다
learn [ləːrn] ⑧ 배우다, 공부하다
skill [skil] ⑨ 솜씨, 기술
lab [læb] ⑨ 실습실(laboratory)
arrive [əráiv] ⑧ 도착하다, 도달하다
joyfully [dʒɔ́ifəli] ⑨ 기쁘게
rush [rʌʃ] ⑧ 돌진하다, 돌격하다
lucky [lʌ́ki] ⑨ 행운의, 운이 좋은
electricity [ilektrísəti] ⑨ 전기
complain [kəmpléin] ⑧ 불평하다

직독직해

Mobile schools can provide / basic education / to a lot of people.

____

Computer labs and teachers travel / the jungle rivers / in Bangladesh.

____

Many towns in the world / are so poor / that they can't build / schools.

____

Review Test

정답 p.19

[1~2] 밑줄 친 단어와 비슷한 의미의 단어를 고르시오.

1 The cave paintings were discovered in France in 1940.
① stolen ② lost ③ found ④ created ⑤ painted

2 The website provides information about fun events.
① wants ② reads ③ asks ④ gives ⑤ gathers

[3~5] 빈칸에 알맞은 단어를 〈보기〉에서 찾아 쓰시오.

보기	frozen	complain	mobile	spices	fame

3 With ____________ phones, we can contact people anywhere.

4 Thanks to the movie, she won ____________ as an actor.

5 Some people were ice fishing on a ____________ lake.

6 **밑줄 친 부분의 쓰임이 다른 하나를 고르시오.**

① My uncle cut himself while he was shaving.
② They had to defend themselves.
③ You should do your homework yourself.
④ My son has to control himself.
⑤ She was talking to herself.

[7~8] 밑줄 친 부분을 어법에 맞게 고쳐 쓰시오.

7 Julia goes to work most every day.

____

8 I wish I am in New York.

____

[9~10] 우리말과 뜻이 같도록 주어진 단어를 배열하여 문장을 완성하시오.

9 피어리는 자신의 영예를 쿡과 나누고 싶지 않았다.
(want / Peary / his fame / to share / did not / with Cook)

____

10 펭귄은 모양과 크기가 다양하다.
(in / penguins / all shapes / and / come / sizes)

____

08 UNIT

29 **Finding Refuge**
더 이상 갈 곳이 없는 그들

30 **Magical Books**
책 쓰면 부자 될까

31 **Orienteering**
혹시 모험 좋아하는 사람?

32 **Hovering Birds**
새도 종류가 너무 많아

29 Finding Refuge

© shutterstock/Alexandre Rotenberg

Throughout human history, refugees have been a fact of life. Groups of people sometimes faced religious, political, or racial discrimination. (A) So it's been harder for refugees to find a place to go. (B) So they would migrate to a more tolerant region of the world. (C) But countries drew clearer national borders in the 1800s.

The Russian Revolution of 1914 set up communism in that country. It also created about 1.5 million refugees who fled from communism. About a million Armenians had to leave Turkey between 1915 and 1923 because of persecution and genocide.

When the People's Republic of China was founded in 1949, 2 million refugees migrated to Taiwan and Hong Kong. The division of India and Pakistan in 1947 forced 18 million people to choose between Muslim Pakistan and Hindu India.

The 1989 ending of the Cold War created refugees due to the changing of political borders in Europe. At the __________ of these changes during the Balkan crisis in 1992, there were up to 18 million refugees. Today the figure is about 11 million.

Grammar Note

6행 : to부정사의 의미상 주어
to부정사의 행위자가 주어 또는 목적어와 같거나 혹은 일반인일 경우 별도로 나타내지 않음. 다를 경우, 주로 to부정사 앞에 [for+목적격]을 써서 나타냄.

I bought some books for Tom to read.
(to read의 의미상의 주어 = Tom)
나는 톰이 읽을 책을 몇 권 샀다.

12행 : 조동사 have to
have to는 의무(~해야 한다)를 나타내는 조동사로 3인칭 단수 현재형은 has to, 과거형은 had to를 사용.

Timothy has to wear his school uniform to school.
티모시는 교복을 입고 등교해야 한다.

I had to clean the room alone.
나는 혼자서 방을 청소해야 했다.

정답 p.19

1 이 글에서 난민이 발생한 이유가 아닌 것은?

① 인종적 탄압
② 종교적 통합
③ 국경의 변화
④ 정치적 혁명
⑤ 새로운 국가 건립

2 이 글의 (A)~(C)를 글의 흐름에 맞게 배열한 것은?

① (A)–(B)–(C)
② (A)–(C)–(B)
③ (B)–(A)–(C)
④ (B)–(C)–(A)
⑤ (C)–(A)–(B)

3 이 글의 밑줄 친 fled와 의미가 가장 가까운 것은?

① hated
② escaped
③ flew
④ split
⑤ warned

4 이 글의 빈칸에 들어갈 말로 가장 알맞은 것은?

① decline
② break
③ height
④ failure
⑤ choice

WORDS

refuge [réfju:dʒ] 명 피난처
throughout [θru(:)áut] 전 ~의 전반에 걸쳐
refugee [rèfjudʒí:] 명 난민, 피난민
a fact of life 어쩔 수 없는 현실, 피할 수 없는 현실
face [feis] 동 ~을 마주하다, 직면하다
religious [rilídʒəs] 형 종교적인
political [pəlítikəl] 형 정치의
racial [réiʃəl] 형 인종의, 민족의
discrimination [diskrìmənéiʃən] 명 차별, 차별 대우
migrate [máigreit] 동 이주하다, 이동하다
tolerant [tálərənt] 형 관대한, 관용하는
region [rí:dʒən] 명 지역, 지방
border [bɔ́:rdər] 명 경계, 경계선
set up ~을 세우다
communism [kámjunìzəm] 명 공산주의
persecution [pə̀:rsəkjú:ʃən] 명 박해, 학대
genocide [dʒénəsàid] 명 집단 학살
division [divíʒən] 명 구분
due to ~ 때문에
crisis [kráisəs] 명 위기
figure [fígjər] 명 수치, 숫자

직독직해

Throughout human history, / refugees have been / a fact of life.

They would migrate / to a more tolerant region / of the world.

It's been harder / for refugees / to find / a place to go.

---

30 Magical Books

One of the most famous and successful writers alive today is J. K. Rowling. When Rowling started writing her books, she was poor, and she needed help from other people to pay her bills. When she wrote her first *Harry Potter* book, she sent it to twelve different publishers, and none of them wanted to print it. When she finally got a company to publish the book, they told her that she would not make very much money.

Eventually, a large publishing company thought that *Harry Potter* book was a great story for kids and paid Rowling a huge amount of money to republish her book. She was finally able to write the other *Harry Potter* books and pay her bills. Soon, J. K. Rowling's books became so popular that thousands of people paid to reserve copies even before they were for sale.

<u>Now that</u> J. K. Rowling is rich, she uses much of her money to help other people. She says "Large amounts of wealth bring a certain __________."

Grammar Note

2행 : 서술적 용법으로만 쓰이는 형용사

형용사 중에는 명사를 앞에서 수식하지 않고 늘 서술적으로만 쓰이는 것들이 있는데 alive, alone, asleep, aware, ashamed 등 a-로 시작하는 많은 형용사들이며 서술적 용법으로만 쓰임.

(O) The baby is **asleep**.
아기가 잠을 자고 있다.

(X) Look at that ~~asleep~~ baby.

Jake was **ashamed** of his mistake.
제이크는 자신의 실수를 부끄러워했다.

3, 8행 : to부정사와 동명사를 쓰는 동사

동사에 따라 목적어로 to부정사와 동명사 둘 중 하나만 취하기도 하며, 둘 다 취하기도 함.

to부정사만 취하는 동사: expect, pretend, plan, want ...

동명사만 취하는 동사: avoid, enjoy, finish, give up ...

to부정사와 동명사 둘 다 취하는 동사: like, hate, start, prefer ...

Jerry **pretended** <u>to be</u> sleeping. 제리는 잠을 자는 척했다.

Harry **finished** <u>doing</u> the dishes. 해리는 설거지를 끝냈다.

I **prefer** <u>buying[=to buy]</u> books. 나는 책을 사는 것을 선호한다.

정답 p.20

1 **이 글의 주제로 가장 알맞은 것은?**

① the famous *Harry Potter* movies
② the business that sells *Harry Potter* books
③ the woman who wrote the *Harry Potter* books
④ the characters of *Harry Potter* movies
⑤ the way *Harry Potter* books was written

2 **다음 중 J. K. Rowling에 대한 내용과 일치하는 것은?**

① 작가이고 매우 가난하다.
② 인기가 예전만 못하다.
③ 책을 집필할 때부터 항상 돈이 많았다.
④ 10개 이상의 출판사에 자신의 원고를 보냈다.
⑤ 모든 출판사가 〈해리 포터〉 책이 인기를 끌 것이라고 생각했다.

3 **이 글의 밑줄 친 Now that과 의미가 가장 가까운 것은?**

① Although
② Because
③ Until
④ While
⑤ Unless

4 **이 글의 빈칸에 들어갈 말로 가장 알맞은 것은?**

① sadness
② responsibility
③ battle
④ anger
⑤ smile

WORDS

successful [səksésfəl] 형 성공한, 성공적인
writer [ráitər] 명 저자, 작가
alive [əláiv] 형 살아 있는
pay one's bill 비용을 지불하다, 계산하다
publisher [pʌ́bliʃər] 명 출판사
none [nʌn] 대 아무도 ~않다
print [print] 동 (책 등을) 출간하다, 발행하다
publish [pʌ́bliʃ] 동 출판하다
eventually [ivéntʃuəli] 부 결국, 마침내
a huge amount of 엄청나게 많은 양의
republish [rìːpʌ́bliʃ] 동 재발간하다
popular [pápjələr] 형 인기 있는
reserve [rizə́ːrv] 동 예약하다
copy [kápi] 명 (책, 잡지 등의) 부, 권
for sale 판매하는
wealth [welθ] 명 부, 재산
certain [sə́ːrtən] 형 특정한, 어떤, 일정한

직독직해

They told / her / that she would not make / very much money.

She was finally able to write / the other *Harry Potter* books.

She uses / much of her money / to help other people.

31 Orienteering

For most people, being lost in the woods is not fun, but for orienteers, there could be nothing better. Orienteers are people who play a sport called orienteering. The object of orienteering is to locate checkpoints by using a map and compass to navigate through the woods.

At first, orienteering was primarily a military activity and part of military training. The civilian version of orienteering began in Sweden as a competitive sport, and it is now played by people all over the world.

In this sport, people are taken into a forest, and given a compass and a map. Orienteers then have to find the best routes and run as fast as they can to get to different destinations on their maps.

Like most sports, orienteering is always changing. People are always inventing new ways to be an orienteer. One of the newest ways to play this sport is on a bicycle. __________, many orienteers use almost no equipment at all. One of the best things about this sport is that no expensive equipment is needed.

*orienteer : 오리엔티어링 참가자
*orienteering : 오리엔티어링

Grammar Note

1행 : 동명사의 명사적 용법

동명사는 문장 안에서 명사처럼 쓰여 주어, 목적어, 보어의 역할을 함.

Being a teacher is not easy. (주어)
선생님이 되는 것은 쉽지 않다.

Many people enjoy watching movies on weekends. (목적어)
많은 사람들은 주말에 영화 보는 것을 즐긴다.

2, 9행 : 등위 접속사

등위 접속사는 짝을 이루는 성분, 즉 단어와 단어, 구와 구, 절과 절 등을 대등하게 연결하는 접속사로 and, but, or, so 등이 있음.

This bus is big and fast. (단어+단어)
이 버스는 크고 빠르다.

I like watching movies, and listening to music. (구+구)
나는 영화 보기와 음악 듣기를 좋아한다.

1 세 번째 문단의 주제는 무엇인가?

① the field of orienteering
② the origin of orienteering
③ the merits and faults of orienteering
④ the equipment of orienteering
⑤ the method of orienteering

2 이 글의 내용과 일치하지 않는 것은?

① 오리엔티어링은 처음에 군사 활동이었다.
② 일부 사람들은 자전거를 타고 오리엔티어링을 한다.
③ 오리엔티어링을 하려면 나침반과 지도를 읽을 줄 알아야 한다.
④ 첫 국제 오리엔티어링 대회는 스웨덴에서 개최되었다.
⑤ 오리엔티어링은 돈이 많이 들지 않는 운동이다.

3 이 글의 밑줄 친 inventing과 의미가 가장 가까운 것은?

① pursuing
② developing
③ erasing
④ sending
⑤ wrapping

4 이 글의 빈칸에 들어갈 말로 가장 알맞은 것은?

① In addition
② Still
③ As a result
④ Moreover
⑤ For example

WORDS

lost [lɔ(:)st] 형 길을 잃은
object [ɑ́bdʒikt] 명 목적, 목표
locate [lóukeit] 동 (위치를) 알아내다, 찾아내다
checkpoint [tʃékpɔ̀int] 명 체크포인트, 검사점
compass [kʌ́mpəs] 명 나침반
navigate [nǽvəgèit] 동 길을 찾다
wood [wud] 명 숲, 삼림
primarily [praimérəli] 부 첫째로, 주로
military [mílitèri] 형 군대의, 군사의
training [tréiniŋ] 명 훈련, 교육
civilian [sivíljən] 형 민간의
competitive [kəmpétitiv] 형 경쟁적인, 경쟁의
all over the world 전 세계에
route [ru:t] 명 길, 경로
get to ~에 가다, 닿다
destination [dèstənéiʃən] 명 목적지
at all (부정어와 함께) 전혀, 조금도
equipment [ikwípmənt] 명 장비, 용품

직독직해

For most people, / being lost / in the woods / is not fun.

Orienteers are people / who play a sport / called orienteering.

One of the newest ways / to play this sport / is on a bicycle.

---

32 Hovering Birds

Hummingbirds are some of the most special and unusual birds in the world. What is so __________ about hummingbirds? Probably the most amazing thing is that, unlike other birds, hummingbirds fly like an insect or a helicopter. They do not need to move forward in order to fly. They fly up, down, sideways, forwards and backwards with little effort. They can even stop in midair or hover. Their hovering seems to hang motionless in the air, and hummingbirds are the only birds that can do this. Their wings beat as fast as ninety times a second, and they make the humming sound that gives the bird its name.

The smallest bird in the world is a bee hummingbird. The bee hummingbird weighs approximately two grams and is only five centimeters long. Like most hummingbirds, its main source of food is the nectar in certain flower species. They migrate in the winter, and they prefer to spend the winters in warm, southern climates where flowers are still blooming. By migrating, they follow their food supply all year round.

*hummingbird : 벌새
*bee hummingbird : 꿀벌 벌새

Grammar Note

1, 4행 : 형용사, 부사의 최상급
형용사와 부사의 최상급은 원급에 -(e)st를 붙인 형태이며 2음절 이상의 형용사와 부사에는 [most+형용사/부사의 원급]의 형태로 나타냄. 대부분의 경우 최상급 앞에 정관사 the가 붙음.

Sally is **the smartest** student in my class.
샐리는 우리 반에서 가장 똑똑한 학생이다.

Money is not **the most important** thing in my life.
돈이 내 인생에서 제일 중요한 것은 아니다.

10행 : 원급 비교
[as+형용사/부사의 원급+as]는 '~만큼 …한'이라는 의미로 동등한 것을 비교함.

I run **as fast as** Tim.
나는 팀만큼 빨리 달린다.

Room 201 is **as big as** Room 202.
201호실은 202호실만큼 크다.

정답 p.21

1 이 글의 빈칸에 들어갈 말로 가장 알맞은 것은?

① unique
② sociable
③ common
④ hidden
⑤ tiny

2 이 글의 내용과 일치하지 않는 것은?

① 벌새는 헬리콥터처럼 떠다닐 수 있다.
② 꿀벌 벌새는 꽃의 잎을 주로 먹는다.
③ 벌새는 일 초에 90회 날갯짓을 할 수 있다.
④ 꿀벌 벌새는 새 중에서 가장 작다.
⑤ 꿀벌 벌새는 겨울에 따뜻한 곳으로 이동한다.

3 이 글의 밑줄 친 motionless와 의미가 가장 가까운 것은?

① still
② busy
③ silent
④ movable
⑤ unknown

4 벌새라는 이름이 붙여진 이유를 우리말로 쓰시오.

____

WORDS

unusual [ʌnjúːʒuəl] 형 진귀한, 보기 드문
probably [prábəbli] 부 아마
unlike [ʌnláik] 전 ~와 다른
forward [fɔ́ːrwərd] 부 앞으로
sideways [sáidwèiz] 부 옆으로
backward [bǽkwərd] 부 뒤로
effort [éfərt] 명 노력, 수고
midair [midέər] 명 공중
hover [hʌ́vər] 동 (허공을) 맴돌다
hang [hæŋ] 동 매달리다
beat [biːt] 동 (날개를) 퍼덕이다
approximately [əpráksəmətli] 부 대략, 약
nectar [néktər] 명 (꽃의) 꿀
species [spíːʃiːz] 명 종
migrate [máigreit] 동 이주하다, 이동하다
prefer [prifə́ːr] 동 선호하다
climate [kláimit] 명 기후
bloom [bluːm] 동 꽃이 피다
supply [səplái] 명 공급(품)

직독직해

They do not need / to move forward / in order to fly.

____

Its main source of food / is the nectar / in certain flower species.

____

By migrating, / they follow / their food supply / all year round.

____

Review Test

정답 p.21

[1~2] 밑줄 친 단어와 반대 의미의 단어를 고르시오.

1 Her first novel was very successful.

① boring ② shocking ③ failed ④ feared ⑤ available

2 She pushed the table forwards.

① upwards ② backwards ③ downwards ④ inwards ⑤ outwards

[3~5] 빈칸에 알맞은 단어를 〈보기〉에서 찾아 쓰시오.

보기	alive	object	route	tolerant	publish

3 My parents are very ____________ of each other's differences.

4 We are glad that the passengers are all ____________!

5 What is the fastest ____________ to the train station?

6 **다음 중 빈칸에 들어갈 말이 다른 하나를 고르시오.**

① The great white shark is one of the ____________ dangerous animals.
② My friends and family are the ____________ important thing in my life.
③ Learning French is ____________ difficult as learning English.
④ Math is the ____________ difficult of all the subjects.
⑤ This book introduces some of the ____________ beautiful places in the world.

[7~8] 밑줄 친 부분을 어법에 맞게 고쳐 쓰시오.

7 I woke him up early of him to catch the first train.

____

8 He was looking at his asleep child.

____

[9~10] 우리말과 뜻이 같도록 주어진 단어를 배열하여 문장을 완성하시오.

9 오늘날 살아있는 가장 유명하고 성공한 작가 중 한 사람은 J. K. 롤링이다.
(alive / is / one / writers / of / today / J. K. Rowling / the most famous and successful)

____

10 꿀벌 벌새는 대략 2그램의 무게가 나간다.
(approximately / weighs / the bee hummingbird / two grams)

____

09 UNIT

33 Tracks in Antarctica

Two groups set out for Antarctica in 1911. One was led by Englishman Robert Falcon Scott. The other was led by Norwegian Roald Amundsen. After the expeditions, one man would be recognized as the first to reach the South Pole, and the other man would be dead.

_____(A)_____ Amundsen clearly marked his supply points along the way, Scott only used a small marker that couldn't be seen in the snow. Amundsen took only four men and some dog teams to keep his group small. Scott took men, dogs, horses, and motor sleds. Amundsen's team moved <u>steadily</u> across Antarctica. On December 18, 1911, Amundsen's team reached the South Pole. The Norwegians raised their flag over the South Pole to prove that they had reached it.

Scott and five of his men arrived at the pole on January 17, 1912. The disappointed English team started the journey home. _____(B)_____ enough food or supplies, Scott and his team froze to death. Amundsen returned to celebrations in Norway, but Scott never returned at all.

Grammar Note

2행 : 부정대명사 one, the other

앞서 언급한 두 개의 대상 중 하나를 가리킬 때는 one, 나머지 하나를 가리킬 때에는 the other를 사용.

I have two pets. **One** is a dog and **the other** is a cat.

나는 두 마리의 애완동물이 있다. 하나는 개이고 나머지 하나는 고양이이다.

16행 : 현재분사와 과거분사

분사는 형용사 역할을 하는데, 현재분사는 [동사원형+-ing], 과거분사는 [동사원형+-ed]의 형태이며, 명사가 능동적으로 감정을 느끼게 만든다면 현재분사를, 수동적으로 감정을 느끼게 된다면 과거분사를 사용.

His new novel is very **disappointing**.

그의 새 소설은 무척 실망스러웠다.

I was **disappointed** with his new novel.

나는 그의 새 소설에 실망했다.

정답 p.22

1 이 글의 주제로 가장 알맞은 것은?

① 남극 대륙에서의 죽음
② 남극 탐험의 희비
③ 남극 대륙의 추운 기후
④ 스콧이 이룩한 업적
⑤ 노르웨이인들의 애국심

2 다음 중 Amundsen에 대한 내용과 일치하지 않는 것은?

① 노르웨이 출신이다.
② 남극에 도달한 최초의 사람이다.
③ 남극 탐험을 할 때 개와 말을 데려갔다.
④ 스콧보다 한 달 전에 남극에 도착했다.
⑤ 남극 탐험을 할 때 보급 지점을 분명하게 표시했다.

3 이 글의 밑줄 친 steadily와 의미가 가장 가까운 것은?

① fast ② tightly
③ continuously ④ flexibly
⑤ silently

4 빈칸 (A)와 (B)에 들어갈 말로 가장 알맞은 것은?

	(A)	(B)
①	Although	Without
②	Although	With
③	While	As
④	While	With
⑤	While	Without

WORDS

set out 시작하다, 착수하다
Antarctica [æntá:rktikə] 명 남극 대륙
lead [li:d] 동 이끌다
expedition [èkspidíʃən] 명 탐험
recognize [rékəgnàiz] 동 인정하다, 인지하다
reach [ri:tʃ] 동 ~에 도달하다, 닿다
dead [ded] 형 죽은
clearly [klíərli] 부 분명히
mark [ma:rk] 동 기록하다, 표시하다
supply [səplái] 명 보급품
keep [ki:p] 동 보유하다, 유지하다
sled [sled] 명 썰매
across [əkrɔ́:s] 전 ~을 가로질러
flag [flæg] 명 깃발
prove [pru:v] 동 입증하다, 증명하다
disappointed [dìsəpɔ́intid] 형 실망한, 낙담한
journey [dʒə́:rni] 명 여행
freeze [fri:z] 동 얼다
return [ritə́:rn] 동 되돌아가다, 돌려주다
celebration [sèləbréiʃən] 명 축하

직독직해

Scott only used / a small marker / that couldn't be seen / in the snow.

He took / four men and some dog teams / to keep his group small.

The disappointed English team started / the journey home.

34 Finding Your Way

The use of a compass for guiding ships was first recorded by the Chinese. They suspended a magnetic needle in a bowl of water or hung it on a thread. When the compass appeared in the Mediterranean, it made sailing ships possible all year round. Before the compass, ships could only sail during good weather conditions using landmarks or the stars. With ship compasses, the total amount of trade in the world increased. It made the Age of Exploration possible.

A compass needle points to the magnetic North Pole. (A) This is different from the actual North Pole. (B) At present, the magnetic North Pole is in Canada about 1,000 miles south of the real North Pole. (C) In the last century, it has moved more than 600 miles west towards Siberia. (D) So a compass can point in different directions according to location. (E) Christopher Columbus noticed this difference when he crossed the Atlantic.

Grammar Note

2행 : 'the+국가'를 나타내는 형용사
국가를 나타내는 형용사와 the가 함께 쓰이면 해당 국가 사람들을 뜻하며 복수 취급함.

the French　프랑스인들
the British　영국인들
the Chinese　중국인들
The Chinese have long memories.
중국인들은 오랜 기억을 갖고 있다.

4, 8행 : 5형식 동사 make
make는 목적어와 목적보어를 취하는 5형식 동사로 '~가 …하도록 만들다'는 의미. 보어로는 명사, 형용사, 동사원형이 올 수 있음.

My puppies always **make** me happy. (형용사 보어)
내 강아지들은 나를 언제나 행복하게 만든다.

The movie **made** her a star. (명사 보어)
그 영화는 그녀를 스타로 만들었다.

His song **made** me cry. (동사 보어)
그의 노래는 나를 울렸다.

정답 p.22

1 첫 번째 문단의 목적은 무엇인가?

① 나침반 사용의 어려움을 설명하려고
② 교역에 항해가 중요한 이유를 보여주려고
③ 나침반의 일상적인 용도를 설명하려고
④ 나침반이 세계 해상 교역에 미친 영향을 알리려고
⑤ 지구의 북극이 어떻게 변하는지 소개하려고

2 이 글의 내용과 일치하지 <u>않는</u> 것은?

① 중국인들이 최초로 나침반 사용을 기록했다.
② 나침반 바늘은 실제 북극을 가리키지 않는다.
③ 나침반이 없었을 때는 별들을 보고 항해했다.
④ 자기 북극은 현재 캐나다의 1,000마일 남쪽에 있다.
⑤ 콜럼버스는 나침반을 이용해 대서양을 횡단했다.

3 이 글의 밑줄 친 <u>suspended</u>와 의미가 가장 가까운 것은?

① collected ② fixed
③ rested ④ produced
⑤ dropped

4 다음 문장이 들어가기에 가장 알맞은 곳은?

> And the direction of the Earth's magnetic field is not the same in all places.

① (A) ② (B)
③ (C) ④ (D)
⑤ (E)

WORDS

compass [kʌ́mpəs] 명 나침반
record [rikɔ́ːrd] 동 기록하다, 적어두다
magnetic needle 자침
hang [hæŋ] 동 매달다
thread [θred] 명 실
appear [əpíər] 동 나타나다, 출현하다
Mediterranean [mèditəréiniən] 명 지중해
possible [pásəbl] 형 가능한, 있을 수 있는
condition [kəndíʃən] 명 상태, 상황
landmark [lǽndmàːrk] 명 (항해의 길잡이가 되는) 안표, 주요 지형지물, 명소
trade [treid] 명 무역, 교역
exploration [èkspləréiʃən] 명 탐험
point [pɔint] 동 ~을 가리키다
actual [ǽktʃuəl] 형 실제의
toward [tɔːrd] 전 ~의 쪽으로, ~을 향하여
direction [dirékʃən] 명 방향
location [loukéiʃən] 명 장소, 위치
notice [nóutis] 동 알아차리다, 인지하다
difference [dífərəns] 명 차이
cross [krɔ(ː)s] 동 가로지르다, 횡단하다

직독직해

The use of a compass / was first recorded / by the Chinese.

A compass needle points / to the magnetic North Pole.

A compass can point / in different directions / according to location.

---

35 The Great Wall

The Great Wall of China, one of the greatest wonders of the world, was listed as a World Heritage Site by UNESCO in 1987. It is the world's longest man-made structure and stretches approximately 8,850 kilometers (5,500 miles) from east to west in China.

The Great Wall was built over several thousand years. The First Emperor of China, Qin Shi Huang, ordered the construction of the wall to protect the empire against invasions from the north. Today, however, little of the wall remains.

The Great Wall that we see today was mostly built during the Ming Dynasty (1368~1644). Millions of people worked on the wall, and they were divided into three groups: soldiers, common people, and criminals. Many people died during its construction, due to the heavy work and tough conditions.

The Great Wall is over 2,000 years old. Many parts of it have been severely damaged and are disappearing. __________, it is still one of the most attractive structures in the world, and about 10,000 people visit it every day.

Grammar Note

13행 : 기간을 나타내는 전치사 during

한 사건이 특정 시점 중에 발생하면 during을 사용하고, 사건이 특정 기간 내내 계속 지속되는 경우에는 for를 사용.

Some students dozed off **during** the lecture.
몇몇 학생들은 강연 중에 졸았다.

Bake the bread **for** 30 minutes.
빵을 30분 동안 구워라.

16행 : 원인을 나타내는 전치사구 due to

due to는 '~때문에'를 뜻하며 because of처럼 원인을 나타낼 때 사용.

A lot of flights were canceled **due to** the bad weather.
악천후로 많은 비행편이 취소되었다.

She is closing the window **because of** the rain.
그녀는 비 때문에 창문을 닫고 있다.

정답 p.23

1 **이 글의 주제로 가장 알맞은 것은?**

① 만리장성의 건축 방식
② 명 왕조의 훌륭한 작품들
③ 만리장성의 현재와 역사
④ 고대 중국 왕조의 특징
⑤ 만리장성의 역할과 기능

2 **다음 중 만리장성에 대한 내용과 일치하지 않는 것은?**

① 길이가 8,000km 이상이다.
② 수천 년에 걸쳐 건설되었다.
③ 세계 문화 유적지 중 한 곳이다.
④ 매주 1만명 정도의 사람들이 방문한다.
⑤ 오늘날 남아있는 것은 대부분 명 왕조 시대의 것이다.

3 **이 글의 빈칸에 들어갈 말로 가장 알맞은 것은?**

① Instead
② However
③ Therefore
④ As a result
⑤ In addition

4 **만리장성이 건설된 배경이 무엇인지 우리말로 쓰시오.**

____

WORDS

wonder [wʌ́ndər] 명 불가사의한 것, 경탄할 만한 것
list [list] 동 명단에 올리다
World Heritage Site 세계 문화유산
man-made 인공의, 사람이 만든
stretch [stretʃ] 동 뻗다, ~에 이르다
approximately [əprɑ́ksəmətli] 부 대략, 대체로
several [sévərəl] 형 몇몇의
order [ɔ́ːrdər] 동 명령하다, 지시하다
construction [kənstrʌ́kʃən] 명 건설
protect [prətékt] 동 보호하다
invasion [invéiʒən] 명 침략, 침입
remain [riméin] 동 남다, 잔존하다
divide into ~로 나누다
soldier [sóuldʒər] 명 군인
criminal [krímənəl] 명 범죄자, 범인
heavy [hévi] 형 견디기 힘든
tough [tʌf] 형 힘든, 고된
severely [sivíərli] 부 심하게, 몹시
damage [dǽmidʒ] 동 해를 입히다
disappear [dìsəpíər] 동 사라지다
attractive [ətrǽktiv] 형 매력적인, 사람의 마음을 끄는
structure [strʌ́ktʃər] 명 구조, 건축물

직독직해

The Great Wall / was built / over several thousand years.

____

It / was mostly built / during the Ming Dynasty.

____

Many people died / due to the heavy work / and tough conditions.

____

36 Yohannes Gebregeorgis

© shutterstock/Nick Fox

Yohannes Gebregeorgis is considered a hero because he saved children in Ethiopia from a life without literature. He took thousands of books to the children of this African country. Yohannes was born in rural Ethiopia and went to the United States in 1981. As the son of an illiterate cattle merchant, he knew the value of reading and education. He obtained a university degree in library science because he wanted to be a children's librarian. By 1985, he worked at the San Francisco Children's Library. During this time as a children's librarian, Yohannes realized what the children of his native home were missing.

He really loved two things with a passion: books and his native country. He wanted to __________, so in 2002 he returned to Ethiopia and opened a library in Addis Ababa, the capital city. The Shola Children's Library started on the first floor of Yohannes's home. Soon, two large tents were added to provide shade for the hundreds of young readers. His organization, Ethiopia Reads, now has additional reading centers across the nation.

Grammar Note

1행 : 명사가 목적보어인 5형식 수동태

[주어+동사+목적어+목적보어] 구조를 갖춘 5형식 문장을 수동태로 만들 때에는 먼저 목적어를 주어 자리로 보내고, 동사는 [be+p.p.]로, 목적보어는 그대로 놓아 둠.

(O) He was elected the president. 그는 회장으로 선출되었다.
(They elected him the president.)

(X) The president was elected him.

18행: provide의 용법

provide는 '주다, 제공하다'를 뜻하며 provide A(사람) with B(사물) 또는 provide B(사물) for[to] A(사람)의 형태로 나타냄.

My mother provided them with delicious food.
우리 어머니는 그들에게 맛있는 음식을 제공했다.

(= My mother provided delicious food for[to] them.)

정답 p.23

1 이 글의 제목으로 가장 알맞은 것은?

① Illiteracy in Ethiopia
② The Value of University Education
③ The Importance of Reading Books
④ A New Reading Campaign in Africa
⑤ The Founder of a Children's Library in Ethiopia

2 다음 중 Yohannes에 대한 내용과 일치하는 것은?

① 아프리카 어린이들에게 책을 팔았다.
② 1985년에 어린이 도서관에서 일했다.
③ 교사가 되기 위해 미국에 갔다.
④ 텐트에서 도서관을 시작했다.
⑤ 1981년에 미국에서 태어났다.

3 이 글의 밑줄 친 obtained와 의미가 가장 가까운 것은?

① lost ② stole
③ signed ④ earned
⑤ reserved

4 이 글의 빈칸에 들어갈 말로 가장 알맞은 것은?

① be a professor
② write books in English
③ make a great deal of money
④ succeed in his father's business
⑤ do something good for his country

WORDS

consider [kənsídər] 동 (~으로) 여기다, 생각하다
save A from B B로부터 A를 구하다
literature [lítərətʃùər] 명 문학, 문헌, 인쇄물
be born in ~에서 태어나다
rural [rú(:)ərəl] 형 시골의
illiterate [ilítərit] 형 문맹의
cattle [kǽtl] 명 소, 가축
merchant [mə́:rtʃənt] 명 상인
value [vǽlju:] 명 가치
education [èdʒukéiʃən] 명 교육
degree [digrí:] 명 학위
library science 도서관학
librarian [laibrɛ́(:)əriən] 명 사서
realize [rí(:)əlàiz] 동 ~을 깨닫다
native [néitiv] 형 모국의
passion [pǽʃən] 명 열정
return [ritə́:rn] 동 되돌아가다, 돌아가다
provide A for B B에게 A를 제공하다
shade [ʃeid] 명 그늘
organization [ɔ̀:rgənizéiʃən] 명 기관, 조직, 단체
additional [ədíʃənəl] 형 추가의, 부가적인
nation [néiʃən] 명 국가

직독직해

He took / thousands of books / to the children / of this country.

Yohannes was born / in Ethiopia / and went to the United States.

The library started / on the first floor / of Yohannes's home.

Review Test

정답 p.24

[1~2] 밑줄 친 단어와 비슷한 의미의 단어를 고르시오.

1 When he lived in Korea, he had a tough time.

① fun ② sad ③ long ④ difficult ⑤ easy

2 Bhutan is one of the poorest nations in the world.

① continents ② cities ③ countries ④ provinces ⑤ governments

[3~5] 빈칸에 알맞은 단어를 〈보기〉에서 찾아 쓰시오.

보기	possible	illiterate	considered	man-made	disappointed

3 She was ____________ that she had failed the exam.

4 Traveling to the past is not ____________ at all.

5 The athlete is ____________ the fastest man in the world.

6 **밑줄 친 부분의 쓰임이 다른 하나를 고르시오.**

① I made him fix the bicycle.
② Her mother made her a musician.
③ This book made him cry.
④ The movie made me sad.
⑤ He made me cookies.

[7~8] 밑줄 친 부분을 어법에 맞게 고쳐 쓰시오.

7 The French is very proud of their culture and language.

____

8 My cell phone rang loudly for the class.

____

[9~10] 우리말과 뜻이 같도록 주어진 단어를 배열하여 문장을 완성하시오.

9 나침반은 장소에 따라서 다양한 방향을 가리킬 수 있다.
(according to location / a compass / in different directions / can / point)

____

10 요하네스 게브레게오르지스는 영웅으로 여겨진다.
(considered / is / Yohannes Gebregeorgis / a hero)

____

Fairytale
colours
Toys
Toys
ARTEMIS
colours
ZEUS
APHRODITE

10 UNIT

37 Being Over-sensitive

Our bodies naturally have antibodies to protect us from harmful bacteria or viruses. But an allergy is an unusual reaction to a harmless substance in the environment. Such a substance is called an allergen. An allergic reaction happens if an allergen is breathed in, swallowed, or touched by the skin.

Examples of allergens can be pollen, dust, mold, insect stings, animal dander, medicines, or a food. Some common food allergens are milk, eggs, peanuts, fish, shellfish, tree nuts, wheat, and soy. __________ include itchy or watery eyes, sneezing, itchy or runny nose, rashes, and feeling tired or sick. A food allergy can cause stomach cramps, vomiting, or diarrhea.

An allergic reaction can make you feel a little uncomfortable or sick enough to need medical treatment. (A) The main one is called a histamine and it only creates more problems. (B) For example, it can cause an asthma attack which requires drugs to breathe again. (C) Various chemicals are released by the body during an allergic reaction. Therefore, people take anti-histamines to reduce an allergic reaction.

Grammar Note

4행 : 형용사로 쓰이는 such

such는 형용사로 쓰일 때 a(n) 앞에 위치.

I have never seen such a tall building before.

나는 전에 그와 같이 큰 건물을 본 적이 없다.

5행 : if의 의미

if는 조건(~라면)의 의미 외에도 when(~할 때)과 같은 의미로 사용되기도 함. when의 의미로 사용되는 경우, 일반적인 진리를 나타냄.

Ice melts if[=when] it is heated.

얼음은 열을 가하면 녹는다.

정답 p.24

1 이 글의 내용과 일치하는 것은?

① 동물들이 알레르겐의 최대 원천이다.
② 알레르겐은 호흡기를 통해 들어올 수 있다.
③ 바이러스에 대한 항체는 사람마다 다르다.
④ 알레르겐은 환경에 유해한 물질이다.
⑤ 알레르기 반응은 의학적 치료가 필요 없다.

2 이 글의 빈칸에 들어갈 말로 가장 알맞은 것은?

① Chains ② Chores
③ Rules ④ Symptoms
⑤ Areas

3 이 글의 (A)~(C)를 글의 흐름에 맞게 배열한 것은?

① (A)-(B)-(C)
② (A)-(C)-(B)
③ (B)-(C)-(A)
④ (C)-(A)-(B)
⑤ (C)-(B)-(A)

4 이 글의 밑줄 친 reduce와 의미가 가장 가까운 것은?

① boil
② lessen
③ generate
④ identify
⑤ complete

WORDS

antibody [ǽntibɑ̀di] 명 항체
harmful [hɑ́ːrmfəl] 형 해로운, 위험한
reaction [riǽkʃən] 명 반응
harmless [hɑ́ːrmlis] 형 해롭지 않은
substance [sʌ́bstəns] 명 물질, 구성 요소
allergen [ǽlərdʒən] 명 알레르겐, 알레르기 항원
breathe [briːð] 동 숨 쉬다, 호흡하다
swallow [swɑ́lou] 동 ~을 삼키다
pollen [pɑ́lən] 명 꽃가루
dust [dʌst] 명 먼지
mold [mould] 명 곰팡이
sting [stiŋ] 명 (곤충의) 침
dander [dǽndər] 명 비듬
itchy [ítʃi] 형 가려운
sneeze [sniːz] 동 재채기하다
rash [ræʃ] 명 발진
cramp [kræmp] 명 경련
vomit [vɑ́mit] 동 구토하다, 구역질하다
diarrhea [dàiəríː(ː)ə] 명 설사
treatment [tríːtmənt] 명 치료, 처치
asthma attack 천식 발작
chemical [kémikəl] 명 화학 물질
release [rilíːs] 동 방출하다
histamine [hístəmìː(ː)n] 명 히스타민제

직독직해

An allergy is / an unusual reaction / to a harmless substance.

____

Various chemicals / are released / by the body.

____

People take / anti-histamines / to reduce an allergic reaction.

____

38 Flying on a Skateboard

Put a board and four small wheels together, and this is called a skateboard. Skateboarding is a difficult sport to __________. But after a few years you can start doing cool tricks. How long would it take you to get the necessary skills to jump over the Great Wall of China? For Danny Way, it took 20 years.

Danny Way is an American professional skateboarder who has become famous for breaking many world records. Some of the things he does have to be seen to be believed. In 1997, he became the first and only skateboarder to jump out of a helicopter and successfully land on his skateboard.

He also holds the world record for the highest air jump (8 meters) and longest jump (25 meters) on a skateboard. But it was in 2005 when he became really famous for jumping over the Great Wall. This was his most dangerous stunt. Danny broke his ankle on his first attempt, but rode through the pain to reach his goal.

Grammar Note

5행: It takes+A(사람)+B(시간)+to부정사
'A가 ~ 하는 데 B만큼의 시간이 걸리다'라는 의미.
How long will **it take me to finish** the job?
제가 그 일을 끝마치는 데 얼마나 오래 걸릴까요?
It will take you about 5 hours to finish it.
당신이 그 일을 끝마치는 데 약 5시간이 걸릴 것입니다.

14행 : It ~ that 강조 구문
주어, 목적어, 부사구 등을 강조하고자 할 때 [It is/was ~ that …]을 사용하며 It과 that 사이에 강조하는 말을 넣음. 강조 대상이 시간인 경우 that대신 when을 쓸 수 있음.
It was in 2000 **that[when]** Sam graduated from college.
샘이 대학을 졸업한 것은 2000년이었다.
(Sam graduated from college in 2000.)

정답 p.25

1 이 글의 주제로 가장 알맞은 것은?

① 스케이트보드의 역사
② 스케이트보딩의 위험성
③ 유명한 스케이트보더의 업적
④ 스케이트보딩의 재미와 인기
⑤ 스케이트보딩 장비 고르는 법

2 이 글의 빈칸에 들어갈 말로 가장 알맞은 것은?

① boss
② rule
③ defeat
④ master
⑤ discover

3 다음 중 Danny Way에 대한 글쓴이의 태도는 어떠한가?

① impressed
② indifferent
③ bored
④ upset
⑤ cautious

4 다음 중 Danny Way에 대한 내용과 일치하지 않는 것은?

① 미국 출신이다.
② 헬리콥터에서 뛰어내린 최초의 스케이트보더였다.
③ 세계 신기록을 많이 가지고 있다.
④ 만리장성을 뛰어 넘기 위해 20년 동안 준비했다.
⑤ 돈을 벌기 위해 만리장성을 뛰어 넘었다.

WORDS

wheel [*h*wiːl] 명 바퀴
trick [trik] 명 묘기, 재주
necessary [nèsəséri] 형 필요한
skill [skil] 명 기술
jump over 뛰어넘다
the Great Wall 만리장성
professional [prəféʃənəl] 형 직업적인, 프로의
famous [féiməs] 형 유명한
break [breik] 동 깨다
jump out 뛰어내리다
successfully [səksésfəli] 부 성공적으로
land [lænd] 동 착륙하다
hold a world record 세계 기록을 보유하다
stunt [stʌnt] 명 묘기, 곡예
ankle [ǽŋkl] 명 발목
attempt [ətémpt] 명 시도
through the pain 고통 속에서도
reach one's goal ~의 목표를 달성하다

직독직해

After a few years / you can start / doing cool tricks.

Some of the things / he does / have to be seen / to be believed.

He became / the first skateboarder / to jump out of a helicopter.

39 Angkor Wat

Angkor Wat is a temple complex near the town of Siem Reap, Cambodia. The ancient city, Angkor, was the capital of the Khmer Empire for more than 500 years, and the kingdom once ruled most of the Indochina peninsula.

Angkor Wat was built in the early 12th century by King Suryavarman II, who governed from 1113 to 1150. It took about 30 years to build the awesome structures. At Angkor Wat, the Khmer kings worshiped and prayed for the protection of their people and kingdom.

After the Khmer Empire was occupied by the armies of neighboring states, Angkor Wat was forgotten until a French explorer discovered it in 1860. Since this discovery, many people have become interested in the temples. Many of them are being restored by teams from around the world.

Angkor Wat was listed as a World Heritage Site in 1992. Today, it has become a major tourist destination, and thousands of tourists flock to the temples every year. Angkor Wat is the symbol of present-day Cambodia.

Grammar Note

9행 : 수동태 만들기

주어가 행동의 주체인 경우는 능동태, 주어가 행동의 대상인 경우는 수동태를 씀. 능동태를 수동태로 만들 때 동사의 목적어가 주어가 되고, 동사는 [be+p.p.]로 바꾸고, 능동태의 주어는 [by+목적격]이 됨.

Many people love the movie. (능동태)
많은 사람들이 그 영화를 사랑한다.

The movie is loved by many people. (수동태)
그 영화는 많은 사람들에게 사랑받는다.

16행 : 수동태의 진행형

수동태의 진행형은 [be+being+p.p.]의 형태로 나타냄.

A new product is being developed by the company.
새 상품이 그 회사에 의해 개발되고 있다.

The dogs was being trained in many ways.
그 개들은 여러 방법으로 훈련을 받고 있었다.

정답 p.25

1 이 글의 주제로 가장 알맞은 것은?

① Angkor, capital of Cambodia
② the origin of religion in Cambodia
③ the discovery of the ancient city, Angkor
④ the historical background of Angkor Wat
⑤ the relationship between Cambodia and neighboring states

2 이 글의 내용과 일치하지 않는 것은?

① 앙코르 와트는 1200년대에 지어졌다.
② 캄보디아는 앙코르 와트로 유명하다.
③ 앙코르 와트를 완성하는 데 약 30년이 걸렸다.
④ 다양한 국적의 사람들이 복원에 참여했다.
⑤ 앙코르 와트는 프랑스 탐험가에 의해 발견되었다.

3 이 글의 밑줄 친 them이 가리키는 것은?

① kings
② teams
③ armies
④ temples
⑤ explorers

4 크메르 제국의 왕들이 앙코르 와트에서 무엇을 했는지 우리말로 쓰시오.

____

WORDS

temple [témpl] 명 사원, 신전
complex [kámpleks] 명 집합체, 단지
ancient [éinʃənt] 형 고대의
capital [kǽpitəl] 명 수도
empire [émpaiər] 명 제국
rule [ruːl] 동 통치하다, 지배하다
peninsula [pənínsələ] 명 반도
govern [gʌ́vərn] 동 통치하다, 지배하다
awesome [ɔ́ːsəm] 형 굉장한, 엄청난
structure [strʌ́ktʃər] 명 건축물, 구조
worship [wə́ːrʃip] 동 숭배하다, 예배하다
pray [prei] 동 기도하다
protection [prətékʃən] 명 보호
occupy [ákjəpài] 동 점령하다, 점거하다
neighboring [néibəriŋ] 형 이웃의, 근처의
explorer [ikspló:rər] 명 탐험가
discover [diskʌ́vər] 동 발견하다
restore [ristɔ́ːr] 동 복구하다, 재건하다
list [list] 동 명단에 올리다
World Heritage Site 세계 문화유산
major [méidʒər] 형 주요한
tourist destination 관광지
flock [flɑk] 동 떼 지어 모이다
symbol [símbəl] 명 상징
present-day 현대의, 오늘날의

직독직해

The kingdom / once / ruled / most of the Indochina peninsula.

____

It took / about 30 years / to build the awesome structures.

____

Angkor Wat was listed / as a World Heritage Site / in 1992.

____

40 The Aborigines of Australia

Before white people came to Australia, there were indigenous people called Aborigines on the continent. Archaeologists say that they arrived in Australia more than 40,000 years ago. After they arrived in Australia, they spread throughout the entire continent. The Aborigines had little contact with outside groups because Australia was ________ from the rest of the world. The population of the Aborigines was about 750,000 at the time when the first Europeans came to Australia.

© shutterstock/isaxar

In the 1800s, people from Great Britain occupied the continent and began to destroy the ancient Aboriginal cultures. The newcomers thought that their culture was superior to that of the Aborigines. They did not attempt to understand the Aboriginal beliefs or customs. By 1900, the Indigenous population of Australia had declined to about 93,000.

The Aboriginal people didn't give up their culture and fought with the newcomers to keep their traditional way of life. The Australian government apologized for the way the Aboriginal people were treated in the past, but this apology came only a few years ago. Many Aborigines still experience discrimination.

*Aborigine : 애버리지니

Grammar Note

9행 : few와 little

few는 셀 수 있는 명사와, little은 셀 수 없는 명사와 쓰임. a few, a little은 '약간'이라는 의미. few, little은 '거의 없는'이라는 부정적 의미.

I have **a little** money. 나는 돈이 조금 있다.
I have **little** money. 나는 돈이 거의 없다.
I have **a few** friends. 나는 친구가 몇 명 있다.
I have **few** friends. 나는 친구가 거의 없다.

16행 : 과거완료

과거완료의 형태는 [had+p.p.]이고, 과거의 한 시점보다 앞서 일어난 일을 나타낼 때 사용.

When I arrived, my sister **had already left**.
내가 도착했을 때 우리 언니는 이미 떠났다.

정답 p.26

1 **이 글의 목적은 무엇인가?**

① 유럽 식민지에 대해 말하려고
② 호주 문화를 가르쳐주려고
③ 영국 역사에 대해 알리려고
④ 애버리지니의 역사를 인식시키려고
⑤ 고대인의 생활 방식에 대해 소개하려고

2 **두 번째 문단의 요지는 무엇인가?**

① 애버리지니 문화의 다양성
② 애버리지니 문화의 쇠퇴
③ 호주 정부의 정치적 입장
④ 애버리지니 언어의 특성
⑤ 영국 문화의 이중성

3 **이 글의 빈칸에 들어갈 말로 가장 알맞은 것은?**

① wide
② close
③ famous
④ isolated
⑤ crowded

4 **이 글의 밑줄 친 that이 가리키는 것을 영어로 쓰시오.**

____

WORDS

indigenous [indídʒənəs] 형 토착의, 그 지역 고유의
continent [kántənənt] 명 대륙
archaeologist [àːrkiɑ́lədʒist] 명 고고학자
spread [spred] 동 퍼지다
throughout [θru(ː)áut] 전 도처에
entire [intáiər] 형 전체의
contact [kɑ́ːntækt] 명 접촉
rest [rest] 명 나머지
population [pɑ̀pjəléiʃən] 명 인구
at that time 그때에, 그 당시
occupy [ɑ́kjəpài] 동 점령하다, 차지하다
destroy [distrɔ́i] 동 파괴하다
ancient [éinʃənt] 형 고대의
superior to ~보다 뛰어난
attempt [ətémpt] 동 시도하다
belief [bilíːf] 명 신념
custom [kʌ́stəm] 명 관습, 풍습
decline [dikláin] 동 감소하다
give up 포기하다
newcomer [njúːkʌmər] 명 새로 온 사람
government [gʌ́vərnmənt] 명 정부
apologize [əpɑ́lədʒàiz] 동 사과하다
treat [triːt] 동 대하다, 대우하다
experience [ikspí(ː)əriəns] 명 경험
discrimination [diskrìmənéiʃən] 명 차별, 차별 대우

직독직해

There were / indigenous people / called Aborigines / on the continent.

____

After they arrived, / they spread / throughout the entire continent.

____

They fought / with the newcomers / to keep their traditional way.

____

Review Test

정답 p.26

[1~2] 밑줄 친 단어와 반대 의미의 단어를 고르시오.

1 It was the ancient Greeks that first invented democracy.
① developed ② modern ③ old ④ strong ⑤ smart

2 Tom played a major role in the event.
① big ② important ③ many ④ tight ⑤ minor

[3~5] 빈칸에 알맞은 단어를 〈보기〉에서 찾아 쓰시오.

보기	ankle	harmless	swallow	superior	awesome

3 Rhinoceros beetles look scary, but they are ___________ to humans.

4 I can't run because I twisted my ___________.

5 The new computer model is ___________ to old ones.

6 **밑줄 친 부분의 쓰임이 다른 하나를 고르시오.**
① It is necessary to learn to swim.
② It is Susan that I invited to the party.
③ It is very important that you arrive there on time.
④ It is fun to play tennis.
⑤ It is not easy to memorize 20 words a day.

[7~8] 밑줄 친 부분을 어법에 맞게 고쳐 쓰시오.

7 I've never seen a such smart child.

____

8 His songs are widely loved with many people.

____

[9~10] 우리말과 뜻이 같도록 주어진 단어를 배열하여 문장을 완성하시오.

9 그 경이로운 건축물을 세우는 데 약 30년이 걸렸다.
(about 30 years / took / to build / it / the awesome structures)

____

10 그들은 애버리지니의 신념이나 관습을 이해하려고 노력하지 않았다.
(the Aboriginal beliefs or customs / attempt / did not / to understand / they)

____

memo

memo

memo

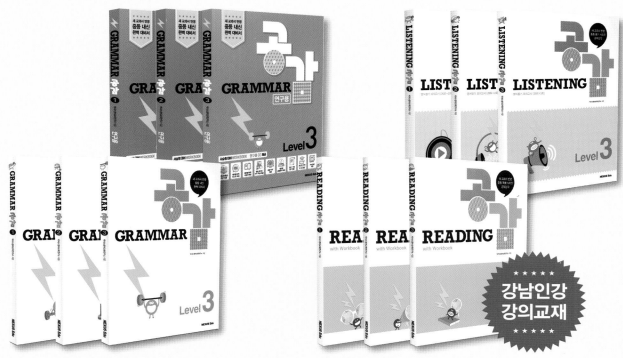

MP3 바로가기

전면 개정판

THIS IS READING

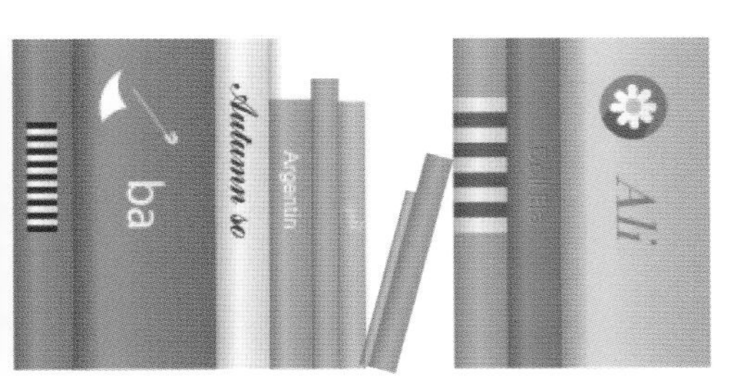

독해의
확실한 해결책

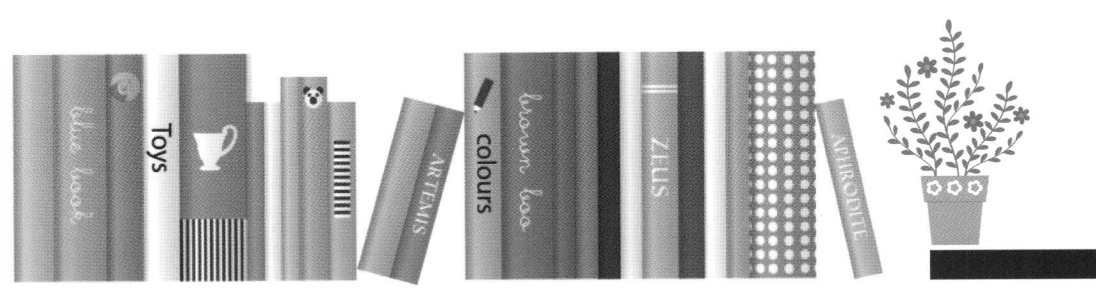

with Workbook
어휘 테스트
통문장 영작
본문 요약 완성

넥서스영어교육연구소 지음

Workbook

1

NEXUS Edu

Unit 01 01 Hungry World

A 영어는 우리말로, 우리말은 영어로 쓰시오.

1 method ______________

2 present ______________

3 production ______________

4 constantly ______________

5 condition ______________

6 increase ______________

7 부족, 결핍 ______________

8 보이지 않는 ______________

9 기아, 기근 ______________

10 저장하다 ______________

11 관심, 주의 ______________

12 이용할 수 있는 ______________

B 우리말과 뜻이 같도록 주어진 단어를 사용하여 문장을 완성하시오.

1 우리는 버스를 타고 박물관에 갈 것이다. (go, the museum, by bus)

____

2 마크는 읽을 잡지 한 권을 가져왔다. (Mark, bring, magazine, to read)

____

3 내 남동생은 시험을 위해 열심히 공부해야 한다. (need, study hard, for the exam)

____

C 〈보기〉의 단어를 사용하여 요약된 글을 완성하시오.

보기	present	fight	enough	famine

Hunger does not get as much attention as ____________. But millions are constantly hungry and don't have ____________ food. Growing more food and storing the food can help ____________ hunger.

Unit 01 02 Singapore Night Safari

A 영어는 우리말로, 우리말은 영어로 쓰시오.

1 wild ____________

2 energy ____________

3 look for ____________

4 exciting ____________

5 hunt ____________

6 place ____________

7 주, 일주일 ____________

8 후회하다 ____________

9 걸어서 ____________

10 놀라운 ____________

11 재미있는, 흥미로운 ____________

12 ~하게 되다 ____________

B 우리말과 뜻이 같도록 주어진 단어를 사용하여 문장을 완성하시오.

1 너는 피아노를 치거나 노래를 부를 수 있다. (play the piano, sing a song)

____

2 그는 누군가 자신의 이름을 부르는 것을 들었다. (hear, someone, call)

____

3 릭은 어제 자신의 프로젝트를 끝마치려고 노력했다. (Rick, try to, finish, his project)

____

C 〈보기〉의 단어를 사용하여 요약된 글을 완성하시오.

보기	hunt	happen	walk	energy

The Singapore Zoo has a night safari showing animals with lots of ____________. The animals usually sleep in the day but ____________ and play at night. You can ____________ in the safari or take a special train.

Unit 01 03 Fruitarians

A 영어는 우리말로, 우리말은 영어로 쓰시오.

1 strict ______________

2 follow ______________

3 extra ______________

4 nation ______________

5 a variety of ______________

6 independent ______________

7 이유, 원인 ______________

8 ~에 더하여 ______________

9 일시적인, 임시의 ______________

10 종교의, 종교적인 ______________

11 ~을 고수하다 ______________

12 태우다 ______________

B 우리말과 뜻이 같도록 주어진 단어를 사용하여 문장을 완성하시오.

1 코끼리는 말보다 훨씬 더 무겁다. (much heavier)

____

2 날씨가 안 좋아서 우리는 계획을 취소했다. (cancel, our plan, because of)

____

3 나는 새 컴퓨터를 사기 위해 돈을 모았다. (save, in order to, computer)

____

C 〈보기〉의 단어를 사용하여 요약된 글을 완성하시오.

보기	forever	religious	famous	independent

A fruitarian is someone who only eats fruits for ____________ or health reasons. Some ____________ examples are Mahatma Gandhi and Steve Jobs. But many fruitarians don't stick to eating only fruits ____________.

Unit 01 04 A Warm Spice

A 영어는 우리말로, 우리말은 영어로 쓰시오.

1 traditional ________	7 순한, 부드러운 ________
2 spice ________	8 냄새, 향기 ________
3 flu ________	9 맛을 내다 ________
4 view ________	10 특성, 속성 ________
5 soil ________	11 안의, 내부의 ________
6 contain ________	12 완화하다, 경감하다 ________

B 우리말과 뜻이 같도록 주어진 단어를 사용하여 문장을 완성하시오.

1 그는 지난주에 나에게 귀여운 인형을 사주었다. (buy, cute doll, last week)

____

2 브라이언은 3년 동안 영어를 가르쳐 왔다. (Brian, teach, for three years)

____

3 그것은 이 가게에서 가장 비싼 의자이다. (expensive, in this store)

____

C 〈보기〉의 단어를 사용하여 요약된 글을 완성하시오.

보기	added	sunlight	contained	flavor

Cinnamon comes from the bark of a tree and adds ____________ to foods. It can be drunk as a tea or ____________ to coffee or hot chocolate. ____________ makes the bark roll up into the cinnamon sticks we buy.

Unit 02 05 Too Sweet

A 영어는 우리말로, 우리말은 영어로 쓰시오.

1 mention ______________
7 추천하다 ______________
2 taste ______________
8 주장하다 ______________
3 include ______________
9 현대의 ______________
4 package ______________
10 지방 ______________
5 diet ______________
11 영양상의 ______________
6 product ______________
12 제조업자 ______________

B 우리말과 뜻이 같도록 주어진 단어를 사용하여 문장을 완성하시오.

1 진은 그 당시에 즐거운 시간을 보내고 있었다. (Jean, have a good time, at that time)

____

2 시간당 가격이 어떻게 되나요? (what, cost, per hour)

____

3 우리는 함께 저녁을 먹기 시작했다. (start, have dinner, together)

____

C 〈보기〉의 단어를 사용하여 요약된 글을 완성하시오.

보기	recommended	taste	included	natural

Sugar has been added to foods for better ____________. But nutritional labels only mention the ____________ sugar and not added sugar. One soda drink already has more added sugar than is ____________.

Unit 02 06 The Great Tunguska Event

A 영어는 우리말로, 우리말은 영어로 쓰시오.

1 cause	____________	7 아주 작은	____________
2 agree	____________	8 통과하다, 지나가다	____________
3 planet	____________	9 이론, 학설	____________
4 crash	____________	10 소리, 소음	____________
5 ground	____________	11 진정하다, 안정하다	____________
6 impact	____________	12 혜성	____________

B 우리말과 뜻이 같도록 주어진 단어를 사용하여 문장을 완성하시오.

1 나는 마이크와 농구를 하고 있었다. (play basketball, Mike)

____

2 그 방은 내 남동생에 의해 어제 청소되었다. (room, clean, yesterday)

____

3 그녀는 마실 것이 필요하다. (need, something, to drink)

____

C 〈보기〉의 단어를 사용하여 요약된 글을 완성하시오.

보기	noise	happened	meteorite	theory

The Great Tunguska Event ____________ in a forest in Russia in 1908. There was a loud ____________, the ground shook, and trees had fallen down. People think it was ____________, a spaceship, or a tiny black hole.

Unit 02 07 Seeing Rainbows

A 영어는 우리말로, 우리말은 영어로 쓰시오.

1 separate ____________

2 fact ____________

3 order ____________

4 bend ____________

5 lunar ____________

6 angle ____________

7 원, 원형 ____________

8 뒤집다, 바꾸다 ____________

9 굴절시키다 ____________

10 ~의 맞은편에 ____________

11 증명하다 ____________

12 비추다, 반사하다 ____________

B 우리말과 뜻이 같도록 주어진 단어를 사용하여 문장을 완성하시오.

1 앨리스는 중국어와 영어를 할 수 있다. (Alice, speak, Chinese, English)

____

2 이 책은 저 책보다 더 재미있다. (interesting, that one)

____

3 그 교회는 많은 사람들이 방문한다. (church, visit, by, a lot of)

____

C 〈보기〉의 단어를 사용하여 요약된 글을 완성하시오.

보기	demonstrate	behind	bent	reverse

We see rainbows when the sun is ____________ us and in front are water droplets. The colors of sunlight are ____________ by the droplets at different angles. A second rainbow can sometimes be seen with the colors in ____________ order.

Unit 02 08 Choosing Your Path

A 영어는 우리말로, 우리말은 영어로 쓰시오.

1 male ____________

2 transition ____________

3 talent ____________

4 determine ____________

5 poison ____________

6 unusual ____________

7 ~하는 경향이 있다 ____________

8 분리하다 ____________

9 경험 ____________

10 주류의 ____________

11 매력적인 ____________

12 기회 ____________

B 우리말과 뜻이 같도록 주어진 단어를 사용하여 문장을 완성하시오.

1 세상에서 가장 작은 동물은 무엇이니? (what, small, animal, in the world)

____

2 사람들은 주말에 늦게 일어나는 경향이 있다. (tend to, wake up late, on weekends)

____

3 새로운 친구를 사귀는 것은 신 나는 일이다. (make, friends, exciting)

____

C 〈보기〉의 단어를 사용하여 요약된 글을 완성하시오.

보기	talents	laugh	mainstream	separate

People who like adventure or have special ____________ tend to have unusual jobs. Some get the poison from snakes or ____________ male and female chicks. Others work as therapists who help patients ____________.

Unit 03 09 Rock Climbing

A 영어는 우리말로, 우리말은 영어로 쓰시오.

1 hang ______________
2 realize ______________
3 keep ______________
4 crack ______________
5 stick ______________
6 position ______________
7 근육 ______________
8 전문의, 특수화한 ______________
9 적절한 ______________
10 느슨한, 헐거워진 ______________
11 일직선으로 ______________
12 흔들다 ______________

B 우리말과 뜻이 같도록 주어진 단어를 사용하여 문장을 완성하시오.

1 그녀는 약간의 마실 물이 필요했다. (need, some water, to drink)

____

2 우리는 학교 규칙을 따라야 한다. (should, follow, school rules)

____

3 그는 나에게 그녀와 싸우지 말라고 말했다. (tell, not to fight)

____

C 〈보기〉의 단어를 사용하여 요약된 글을 완성하시오.

보기	feet	arms	energy	proper

The __________ way to do rock climbing is to use your leg muscle. You can save __________ by keeping your arms straight. And move your __________ before moving your body.

Unit 03 10 Dining with Dogs

A 영어는 우리말로, 우리말은 영어로 쓰시오.

1 blind ____________
2 various ____________
3 physical ____________
4 loyal ____________
5 guess ____________
6 canine ____________
7 친구, 동료 ____________
8 10년간 ____________
9 장애 ____________
10 ~에 기입하다 ____________
11 ~에 붙이다 ____________
12 손상된 ____________

B 우리말과 뜻이 같도록 주어진 단어를 사용하여 문장을 완성하시오.

1 그는 제인에게 선물로 보답했다. (reward A with B, Jane, gift)

____

2 언덕 위에 멋진 집이 있다. (there be, great, on the hill)

____

3 그녀는 1년 동안 일본어를 공부해 왔다. (learn, Japanese, for a year)

____

C 〈보기〉의 단어를 사용하여 요약된 글을 완성하시오.

보기	reward	companion	waiters	menu

One restaurant uses dogs as ____________ instead of humans. The dogs pull a cart containing the ____________ or the food. Customers can ____________ their canine waiters with snacks.

Unit 03 11 Wedding Traditions

A 영어는 우리말로, 우리말은 영어로 쓰시오.

1 lifetime ______	7 식, 의식 ______
2 term ______	8 고대의 ______
3 tradition ______	9 기원, 출처 ______
4 knot ______	10 ~을 상징하다 ______
5 stack ______	11 표현 ______
6 sting ______	12 결합 ______

B 우리말과 뜻이 같도록 주어진 단어를 사용하여 문장을 완성하시오.

1 제임스는 부엌에 있을지도 모른다. (James, may, in the kitchen)

____

2 이 단어는 스페인어에서 왔다. (word, come from, Spanish)

____

3 그는 온종일 행복해 보였다. (look, happy, all day)

____

C 〈보기〉의 단어를 사용하여 요약된 글을 완성하시오.

보기	hands	originally	layers	tradition

The expression "tie the knot" came from actually tying the ____________ together. "Honeymoon" was ____________ a month of drinking wine made from honey. Wedding cakes have ____________ because of a game of stacking cakes.

Unit 03 12 The Mary Celeste

A 영어는 우리말로, 우리말은 영어로 쓰시오.

1 cargo ________________
2 crew ________________
3 remain ________________
4 discover ________________
5 correct ________________
6 search ________________
7 선장 ________________
8 폭발 ________________
9 해적, 해적선 ________________
10 새다, 새어 나오다 ________________
11 버리다, 유기하다 ________________
12 장비, 도구 ________________

B 우리말과 뜻이 같도록 주어진 단어를 사용하여 문장을 완성하시오.

1 그 편지는 루스에 의해 쓰여졌다. (letter, write, Ruth)

____

2 그녀는 내게 자신의 책을 돌려달라고 요청했다. (ask, return A to B, her book)

____

3 건강이 세상에서 가장 중요하다. (health, important thing, in the world)

____

C 〈보기〉의 단어를 사용하여 요약된 글을 완성하시오.

보기	crew	leak	abandoned	sailors

The *Mary Celeste* was found in 1872 without any ____________. The ship still had clothes, food, and water. One possible explanation is that the ____________ smelled alcohol and ____________ ship.

Unit 04 13 Warrior Princess

A 영어는 우리말로, 우리말은 영어로 쓰시오.

1 terrible ______________

2 pollution ______________

3 deadly ______________

4 protect ______________

5 plant ______________

6 crash ______________

7 파괴하다 ______________

8 유독한, 독성의 ______________

9 생존자 ______________

10 승객 ______________

11 의사소통하다 ______________

12 계곡, 골짜기 ______________

B 우리말과 뜻이 같도록 주어진 단어를 사용하여 문장을 완성하시오.

1 너는 오늘 밤에 네 방을 청소해야 한다. (must, your room, tonight)

____

2 우리는 범죄로부터 스스로를 보호해야 한다. (should, protect A from B, oneself, crime)

____

3 그 건물은 우체국과 박물관 사이에 있다. (building, between, post office, museum)

____

C 〈보기〉의 단어를 사용하여 요약된 글을 완성하시오.

보기	defend	crash	destroyed	polluted

The story of Nausicaa takes place after the Earth was ____________ by war. Most of the world is ____________ and there are dangerous animals. Princess Nausicaa also has to ____________ her kingdom from other kingdoms.

Unit 04 14 Noodling

A 영어는 우리말로, 우리말은 영어로 쓰시오.

1 pull out of ________________

2 bare ________________

3 huge ________________

4 bite ________________

5 wood ________________

6 spear ________________

7 턱 ________________

8 남쪽의, 남쪽에 있는 ________________

9 ~에 참가하다 ________________

10 ~에 넣다 ________________

11 상상하다 ________________

12 낚싯대 ________________

B 우리말과 뜻이 같도록 주어진 단어를 사용하여 문장을 완성하시오.

1 존은 상자 안에 공 하나를 넣었다. (John, put A in B)

____

2 그녀는 친구들과 시간을 보내는 것을 좋아한다. (like, spend time)

____

3 아름다운 드레스를 찾고 있나요? (look for, beautiful)

____

C 〈보기〉의 단어를 사용하여 요약된 글을 완성하시오.

보기	putting	live	bite	bare

Noodlers catch catfish by ____________ their arms in catfish holes. The catfish ____________ the fingers and the noodler pulls the fish out. Sometimes other animals like beavers or snapping turtles ____________ in the catfish holes.

Unit 04 15 Keeping It Cold

A 영어는 우리말로, 우리말은 영어로 쓰시오.

1 industry ______________

2 regularly ______________

3 throw away ______________

4 invention ______________

5 operate ______________

6 basement ______________

7 내부 ______________

8 구성 부분, 장치 ______________

9 냉동된, 얼어붙은 ______________

10 ~에 혁명을 일으키다 ______________

11 분리된, 독립된 ______________

12 유행하다, 인기를 얻다 ______________

B 우리말과 뜻이 같도록 주어진 단어를 사용하여 문장을 완성하시오.

1 빵이 설탕으로 뒤덮여 있다. (bread, cover with, sugar)

____

2 샘은 유명한 축구 선수가 되었다. (Sam, become, famous soccer player)

____

3 파리는 가볼 만한 곳이 많다. (Paris, have, many places, visit)

____

C 〈보기〉의 단어를 사용하여 요약된 글을 완성하시오.

보기	delivered	widespread	operated	popular

People in the 1800s used ice boxes and had blocks of ice ____________. Early modern refrigerators didn't catch on because ice boxes were so ____________. Refrigerators became ____________ in the 1940s.

Unit 04 16 Poisonous Frogs

A 영어는 우리말로, 우리말은 영어로 쓰시오.

1 survive ____________

2 daytime ____________

3 dart ____________

4 produce ____________

5 chemical ____________

6 secret ____________

7 다른 ____________

8 활동적인 ____________

9 위협하다 ____________

10 포식자 ____________

11 ~하자마자 ____________

12 체중이 줄다 ____________

B 우리말과 뜻이 같도록 주어진 단어를 사용하여 문장을 완성하시오.

1 레이첼은 친구들을 만나기 위해 공원으로 갔다. (Rachael, go to the park, meet, friends)

____

2 스티브는 우리 반에서 가장 똑똑한 학생이다. (Steve, smart, in my class)

____

3 그녀는 여동생을 위해 선물을 샀다. (buy, present, for)

____

C 〈보기〉의 단어를 사용하여 요약된 글을 완성하시오.

보기	threaten	hunt	protect	medicine

Poison dart frogs produce poison and use it to ____________ themselves from predators. Some people use the frog's poison when they ____________ other animals. Other people use it to make ____________.

Unit 05 17 Farming Our Fish

A 영어는 우리말로, 우리말은 영어로 쓰시오.

1 population ______________

2 solution ______________

3 farm ______________

4 limit ______________

5 disease ______________

6 put pressure on ______________

7 버리다 ______________

8 늘리다, 강화하다 ______________

9 ~와 비교하여 ______________

10 반, 2분의 1 ______________

11 해로운, 위험한 ______________

12 멸종되다 ______________

B 우리말과 뜻이 같도록 주어진 단어를 사용하여 문장을 완성하시오.

1 스미스 씨는 아들에게 실망했다. (Mr. Smith, be disappointed with)

____

2 그는 작년부터 캐나다에 살고 있다. (live, Canada, since last year)

____

3 우리 형은 새 차를 사고 싶어 한다. (want, buy)

____

C 〈보기〉의 단어를 사용하여 요약된 글을 완성하시오.

보기	limit	oceans	farmed	wildlife

The world is eating more fish than ever before. And the ____________ have only 10% of the fish they used to have. So countries ____________ how much fish is caught and half the world's fish is ____________.

Unit 05 18 Hearing Music in Color?

A 영어는 우리말로, 우리말은 영어로 쓰시오.

1 note ______________
2 common ______________
3 while ______________
4 same ______________
5 a piece of ______________
6 loud ______________
7 발견하다 ______________
8 조용한 ______________
9 (~한 상태로) 변하다 ______________
10 실험하다 ______________
11 기록하다 ______________
12 밝은 ______________

B 우리말과 뜻이 같도록 주어진 단어를 사용하여 문장을 완성하시오.

1 그녀의 편지는 많은 사람들을 울렸다. (letter, make, a lot of, cry)

____

2 밖이 점점 더 어두워지고 있다. (get dark, outside)

____

3 큰 소리로 말하지 마세요. (not, speak, in a loud voice)

____

C 〈보기〉의 단어를 사용하여 요약된 글을 완성하시오.

보기	gold	see	quiet	same

Listening to music may cause you to ____________ colors. These colors could be the ____________ for different people. The sounds of a harp might make you see the color ____________.

Unit 05 19 Warmer Winters

A 영어는 우리말로, 우리말은 영어로 쓰시오.

1 mean ____________

2 damage ____________

3 extra ____________

4 crop ____________

5 melt ____________

6 rainfall ____________

7 전기 ____________

8 홍수 ____________

9 가능한 ____________

10 평균의 ____________

11 인공적인, 인공의 ____________

12 온도, 기온 ____________

B 우리말과 뜻이 같도록 주어진 단어를 사용하여 문장을 완성하시오.

1 나는 열심히 노력해서 그 시합에서 이길 것이다. (will, try, win the game)

____

2 윌슨은 우리 집에 오지 않을지도 모른다. (Wilson, may, come, to my house)

____

3 그는 도움 없이 자신의 숙제를 해야 한다. (must, do homework, without any help)

____

C 〈보기〉의 단어를 사용하여 요약된 글을 완성하시오.

보기	risen	artificial	less	produce

The weather in the American Northeast has ____________ by 2 degrees in the last century. This can make animals ____________ less milk and fewer babies. It also means that ski resorts can make ____________ money.

Unit 05 20 An Underground City

A 영어는 우리말로, 우리말은 영어로 쓰시오.

1 escape ______________
2 shelter ______________
3 surface ______________
4 subterranean ______________
5 elaborate ______________
6 appeal ______________
7 궁금한 ______________
8 자연적으로 ______________
9 전체의 ______________
10 학대, 혹사 ______________
11 사실상 ______________
12 정부 ______________

B 우리말과 뜻이 같도록 주어진 단어를 사용하여 문장을 완성하시오.

1 책을 읽는 것은 나의 취미이다. (read books, hobby)

____

2 그녀는 벤의 의견을 물어보려고 그에게 전화했다. (call, Ben, ask, his opinion)

____

3 너와 함께 일하게 되어 행운이야. (lucky, work, with)

____

C 〈보기〉의 단어를 사용하여 요약된 글을 완성하시오.

보기	religious	escape	ancient	hide

Derinkuyu was an ____________ underground city in Turkey. Up to 50,000 people once lived there to ____________ from the government or ____________ mistreatment. Today it is a popular tourist attraction.

Unit 06 21 A Country from Africa

A 영어는 우리말로, 우리말은 영어로 쓰시오.

1 flow ________________

2 local ________________

3 come from ________________

4 event ________________

5 coast ________________

6 capital ________________

7 공용어 ________________

8 식민지 ________________

9 달력 ________________

10 계절의 ________________

11 사막 ________________

12 땅, 나라 ________________

B 우리말과 뜻이 같도록 주어진 단어를 사용하여 문장을 완성하시오.

1 우리 형과 누나는 둘 다 아침에 늦게 일어났다. (both A and B, get up late)

____

2 줄리는 오렌지 주스의 4분의 3을 마셨다. (Julie, drink, three fourths, orange juice)

____

3 그녀는 매일 아침 테니스를 치곤 했다. (used to, tennis, every morning)

____

C 〈보기〉의 단어를 사용하여 요약된 글을 완성하시오.

보기	colony	official	coasts	name

Morocco sits between Spain and Algeria and has ____________ on the Mediterranean and Atlantic. Its ____________ languages are Arabic and Berber though some learn French. The ____________ Morocco comes from the Latin Marrakesh meaning "Land of God."

Unit 06 22 People of the North

A 영어는 우리말로, 우리말은 영어로 쓰시오.

1 region ____________
2 no longer ____________
3 settlement ____________
4 staple ____________
5 modern ____________
6 area ____________
7 발달, 발전 ____________
8 ~에 다니다 ____________
9 안정된, 확고한 ____________
10 영구적인 ____________
11 ~을 사냥하다 ____________
12 교통 ____________

B 우리말과 뜻이 같도록 주어진 단어를 사용하여 문장을 완성하시오.

1 제이슨은 보스턴에서 캘리포니아까지 여행할 것이다. (Jason, travel, Boston, California)

____

2 지난주부터 그녀는 학교에서 일하고 있다. (work, at a school, since last week)

____

3 나는 아이들이 해변에서 모래성을 쌓는 것을 보았다.
(see children, build a sandcastle, on the beach)

____

C 〈보기〉의 단어를 사용하여 요약된 글을 완성하시오.

보기	live	transportation	pull	travel

The Inuit ____________ in the Arctic areas of Canada, Greenland, and Alaska. They hunt sea creatures and ____________ by dog sleds. Modern ____________ has brought schools and hospitals to them.

Unit 06 23 A Modern Day Treasure Hunter

A 영어는 우리말로, 우리말은 영어로 쓰시오.

1 artifact ______________
2 shipwreck ______________
3 describe ______________
4 technology ______________
5 satellite ______________
6 finance ______________
7 직업의, 프로의 ______________
8 발견, 발견물 ______________
9 보물 ______________
10 위험 ______________
11 복원, 회수 ______________
12 개척자, 선구자 ______________

B 우리말과 뜻이 같도록 주어진 단어를 사용하여 문장을 완성하시오.

1 그는 컴퓨터 게임을 하는 데 많은 시간을 보낸다. (spend much time, computer games)

____

2 가장 인기 있는 영화 중 하나는 해리포터이다. (one of, popular, *Harry Potter*)

____

3 나는 해야 할 숙제가 많다. (have, a lot of, to do)

____

C 〈보기〉의 단어를 사용하여 요약된 글을 완성하시오.

보기	gold	treasure	locate	finance

Greg Stemm hunts for ____________ in ship wrecks in the deep ocean. He uses sonar and satellite to ____________ the ships. Recently he found a 200-year-old Spanish ship with $500 million in ____________ and silver.

Unit 06 24 Abnormal Cells

A 영어는 우리말로, 우리말은 영어로 쓰시오.

1 surgery ____________

2 symptom ____________

3 spread ____________

4 growth ____________

5 cell ____________

6 cure ____________

7 치료, 처치 ____________

8 산소 ____________

9 유전의 ____________

10 영양분 ____________

11 다양하다 ____________

12 고체의, 고형의 ____________

B 우리말과 뜻이 같도록 주어진 단어를 사용하여 문장을 완성하시오.

1 은행 앞에 많은 사람들이 있다. (there be, in front of)

____

2 긴 머리를 가진 소녀가 버스를 기다리고 있다. (with long hair, wait for)

____

3 나는 여동생에게 자신의 방을 청소하도록 시켰다. (make, clean her room)

____

C 〈보기〉의 단어를 사용하여 요약된 글을 완성하시오.

보기	genetic	solid	uncontrollably	removes

There are cancers of the breast, the skin, the lungs, and more. The immune system usually ____________ abnormal cells, but some cancer cells can hide from it. Cancer cells start from ____________ changes which make them grow ____________.

Unit 07 25 Magnetic World

A 영어는 우리말로, 우리말은 영어로 쓰시오.

1 believable ______________

2 copper ______________

3 protect ______________

4 natural ______________

5 metal ______________

6 discover ______________

7 중심(부), 핵 ______________

8 구성 물질, 재료 ______________

9 ~에 영향을 미치다 ______________

10 이론, 원리 ______________

11 둘러싸다 ______________

12 ~을 끌다, 끌어당기다 ______________

B 우리말과 뜻이 같도록 주어진 단어를 사용하여 문장을 완성하시오.

1 이 신문은 많은 사람들에 의해 읽힌다. (newspaper, read, many)

____

2 그것은 초록색과 노란색 같은 밝은 색을 가지고 있다. (bright colors, such as)

____

3 선글라스는 햇빛으로부터 우리의 눈을 보호한다. (sunglasses, protect A from B, sunlight)

____

C 〈보기〉의 단어를 사용하여 요약된 글을 완성하시오.

보기	attract	named	natural	solar

Magnets could have been ____________ for the city Magnesia in Turkey. They produce magnetic fields which ____________ or push away certain metals. The Earth is a giant magnet which pushes away ____________ radiation.

Unit 07 26 First to the Pole

A 영어는 우리말로, 우리말은 영어로 쓰시오.

1 fame	________	7 불행하게도	________
2 claim	________	8 탐험	________
3 reject	________	9 우정	________
4 adventure	________	10 승리	________
5 outer	________	11 A에게 B라고 비난하다	________
6 announce	________	12 지지하다, 버티다	________

B 우리말과 뜻이 같도록 주어진 단어를 사용하여 문장을 완성하시오.

1 나는 오늘 읽어야 할 책이 많다. (have, to read, today)

____

2 그는 영어를 배우기 위해 뉴욕에 갈 것이다. (be going to, New York, to learn)

____

3 그녀는 여동생을 돌보기로 약속했다. (promise, to take care of)

____

C 〈보기〉의 단어를 사용하여 요약된 글을 완성하시오.

보기	rejected	lying	announced	claimed

Robert Peary and Frederick Cook competed to get to the North Pole first. Peary ____________ his trip in newspapers but Cook did not. Each ____________ to have reached the North Pole but each accused the other of ____________.

Unit 07 27 Penguins

A 영어는 우리말로, 우리말은 영어로 쓰시오.

1 island ______________
2 stand ______________
3 emperor ______________
4 floor ______________
5 different ______________
6 match ______________
7 ~을 먹이로 하다 ______________
8 (무게가) ~이다 ______________
9 ~와 섞이다 ______________
10 얼어붙은 ______________
11 반구 ______________
12 종 ______________

B 우리말과 뜻이 같도록 주어진 단어를 사용하여 문장을 완성하시오.

1 그 박물관은 유명한 건축가에 의해 지어졌다. (museum, build, a famous architect)

____

2 그녀는 우리 반에서 가장 키가 크다. (tall, in my class)

____

3 이 카메라는 저 카메라보다 더 비싸다. (camera, expensive, that one)

____

C 〈보기〉의 단어를 사용하여 요약된 글을 완성하시오.

보기	species	floor	different	cold

Penguins have a black back to match the ocean ____________ and a white belly to match the upper ocean. The twenty ____________ of penguin all live in the southern hemisphere but not always in ____________ places. The biggest are the Emperor Penguin and the smallest are the Fairy Penguin.

Unit 07 28 Mobile Schools

A 영어는 우리말로, 우리말은 영어로 쓰시오.

1 village ______________

2 rush ______________

3 joyfully ______________

4 build ______________

5 wish ______________

6 mean ______________

7 대신에 ______________

8 배우다, 공부하다 ______________

9 행운의, 운이 좋은 ______________

10 전기 ______________

11 도착하다 ______________

12 불평하다 ______________

B 우리말과 뜻이 같도록 주어진 단어를 사용하여 문장을 완성하시오.

1 나는 그 소식을 듣고 슬펐다. (sad, to hear, news)

____

2 제시카는 책을 사기 위해 서점에 갔다. (Jessica, go, bookstore, to buy)

____

3 우리는 추운 날씨 때문에 밖에 나갈 수 없다. (go out, because of the cold weather)

____

C 〈보기〉의 단어를 사용하여 요약된 글을 완성하시오.

보기	educate	rush	million	horses

A mobile school is a cheap way to ____________ many people. It could be in a boat or a bus or even on ____________. Mobile schools educate over one ____________ children in Bangladesh.

Unit 08 29 Finding Refuge

A 영어는 우리말로, 우리말은 영어로 쓰시오.

1 political ____________
2 region ____________
3 border ____________
4 discrimination ____________
5 figure ____________
6 division ____________
7 인종의, 민족의 ____________
8 관대한, 관용하는 ____________
9 집단 학살 ____________
10 ~의 전반에 걸쳐 ____________
11 이주하다, 이동하다 ____________
12 박해, 학대 ____________

B 우리말과 뜻이 같도록 주어진 단어를 사용하여 문장을 완성하시오.

1 정원에 아름다운 꽃들이 있다. (there be, beautiful, in the garden)

____

2 너는 먹기 전에 손을 씻어야 한다. (have to, wash, hands, before eating)

____

3 수요일은 화요일과 목요일 사이에 있다. (between A and B)

____

C 〈보기〉의 단어를 사용하여 요약된 글을 완성하시오.

보기	end	migrate	border	fled

Refugees ____________ to find a better place to live or to escape discrimination. Millions of refugees ____________ communism in Russia and China. The division of India and Pakistan and the ____________ of the Cold War also made millions of refugees.

Unit 08 30 Magical Books

A 영어는 우리말로, 우리말은 영어로 쓰시오.

1 reserve ____________

2 successful ____________

3 eventually ____________

4 publisher ____________

5 print ____________

6 for sale ____________

7 부, 재산 ____________

8 특정한, 어떤 ____________

9 엄청나게 많은 양의 ____________

10 살아 있는 ____________

11 비용을 지불하다 ____________

12 저자, 작가 ____________

B 우리말과 뜻이 같도록 주어진 단어를 사용하여 문장을 완성하시오.

1 켈리는 동물원에 가기를 원한다. (Kelly, want, to the zoo)

____

2 가장 빠른 동물 중 하나는 치타이다. (one of the, fast, cheetah)

____

3 그녀는 방과 후에 영어를 배우기 시작했다. (start, learn, after school)

____

C 〈보기〉의 단어를 사용하여 요약된 글을 완성하시오.

보기	sell	publish	successful	popular

The author of *Harry Potter* is ____________ now but started out poor. Some publishers told J. K. Rowling that her books won't ____________ much. Eventually the books became ____________ and Rowling is rich and famous.

Unit 08 31 Orienteering

A 영어는 우리말로, 우리말은 영어로 쓰시오.

1 get to ______________

2 locate ______________

3 compass ______________

4 navigate ______________

5 military ______________

6 object ______________

7 경쟁적인, 경쟁의 ______________

8 길, 경로 ______________

9 목적지 ______________

10 장비, 용품 ______________

11 민간의 ______________

12 첫째로, 주로 ______________

B 우리말과 뜻이 같도록 주어진 단어를 사용하여 문장을 완성하시오.

1 이 맛있는 음식은 내 여동생에 의해 만들어졌다. (delicious food, make, by)

____

2 앤디는 주말마다 영화 보는 것을 즐긴다. (Andy, enjoy, watch movies, on weekends)

____

3 나는 내일 아침 일찍 일어나야 한다. (have to, get up)

____

C 〈보기〉의 단어를 사용하여 요약된 글을 완성하시오.

보기	civilian	sport	military	navigating

Orienteering means ____________ a forest using a map and compass. It was originally a ____________ training exercise. But it became a ____________ in Sweden and now elsewhere.

Unit 08 32 Hovering Birds

A 영어는 우리말로, 우리말은 영어로 쓰시오.

1 effort ______________

2 unlike ______________

3 sideways ______________

4 beat ______________

5 climate ______________

6 bloom ______________

7 (허공을) 맴돌다 ______________

8 공중 ______________

9 이주하다, 이동하다 ______________

10 앞으로 ______________

11 선호하다 ______________

12 대략, 약 ______________

B 우리말과 뜻이 같도록 주어진 단어를 사용하여 문장을 완성하시오.

1 타일러는 건강을 유지하기 위해 매일 자전거를 탄다.
(Tyler, ride, his bike, every day, stay healthy)

____

2 나는 우리 형만큼 키가 크다. (as tall as)

____

3 흰수염고래는 세상에서 제일 큰 동물이다. (the blue whale, big, animal, in the world)

____

C 〈보기〉의 단어를 사용하여 요약된 글을 완성하시오.

보기	helicopter	nectar	direction	effort

Hummingbirds fly more like an insect or a ____________ than a bird. They can fly in any ____________ and even stop and hover. They mostly eat the ____________ of certain flowers.

Unit 09 33 Tracks in Antarctica

A 영어는 우리말로, 우리말은 영어로 쓰시오.

1 dead ______________

2 prove ______________

3 freeze ______________

4 mark ______________

5 lead ______________

6 supply ______________

7 실망한, 낙담한 ______________

8 시작하다, 착수하다 ______________

9 인정하다, 인지하다 ______________

10 여행 ______________

11 축하 ______________

12 분명히 ______________

B 우리말과 뜻이 같도록 주어진 단어를 사용하여 문장을 완성하시오.

1 그는 어머니를 방문하기 위해 파리로 출발했다. (set out for, Paris, visit)

____

2 론은 항상 걸어서 학교에 간다. (Ron, always, walk to school)

____

3 나는 사과 두 개가 있다. 하나는 빨간색이고, 다른 하나는 초록색이다.
(One is A and the other is B)

____

C 〈보기〉의 단어를 사용하여 요약된 글을 완성하시오.

보기	prove	returned	supplies	reach

Two groups attempted to ____________ the South Pole in Antarctica in 1911. One led by Roald Amundsen of Norway succeeded and ____________ home. But the other group led by Robert Falcon Scott of England ran out of ____________ and froze to death.

Unit 09 34 Finding Your Way

A 영어는 우리말로, 우리말은 영어로 쓰시오.

1 record ____________

2 direction ____________

3 cross ____________

4 thread ____________

5 exploration ____________

6 point ____________

7 나타나다, 출현하다 ____________

8 알아차리다, 인지하다 ____________

9 매달다 ____________

10 차이 ____________

11 무역, 교역 ____________

12 ~의 쪽으로 ____________

B 우리말과 뜻이 같도록 주어진 단어를 사용하여 문장을 완성하시오.

1 우리 어머니는 내가 설거지를 하게 했다. (make, wash the dishes)

____

2 프랑스인들은 엄격한 식사 예절을 가지고 있다. (the French, strict, table manners)

____

3 전기 자동차는 19세기에 발명되었다. (the electric car, invent, in the 19th century)

____

C 〈보기〉의 단어를 사용하여 요약된 글을 완성하시오.

보기	noticed	magnetic	bad	appeared

The compass for use on ships came from China and only later ____________ in the Mediterranean. Ship compasses allowed trade even during ____________ weather conditions. Compasses point to the ____________ North Pole, not the real North Pole.

Unit 09 35 The Great Wall

A 영어는 우리말로, 우리말은 영어로 쓰시오.

1 disappear ________________
2 tough ________________
3 protect ________________
4 stretch ________________
5 wonder ________________
6 order ________________
7 침략, 침입 ________________
8 매력적인 ________________
9 심하게, 몹시 ________________
10 건설 ________________
11 ~로 나누다 ________________
12 범죄자, 범인 ________________

B 우리말과 뜻이 같도록 주어진 단어를 사용하여 문장을 완성하시오.

1 나는 주말 동안 그 프로젝트를 끝낼 것이다. (finish, project, during the weekend)

____

2 에릭은 교통 체증 때문에 회의에 늦었다. (Eric, late for the meeting, due to a traffic jam)

____

3 그녀의 책은 교실에서 도둑맞았다. (be stolen, in the classroom)

____

C 〈보기〉의 단어를 사용하여 요약된 글을 완성하시오.

보기	man-made	built	stretched	invasions

The Great Wall of China is the world's longest ____________ structure. The original wall was built to protect against ____________ from the north. Today's Great Wall was mostly ____________ later during the Ming Dynasty.

36 Yohannes Gebregeorgis

A 영어는 우리말로, 우리말은 영어로 쓰시오.

1 rural ______________

2 realize ______________

3 literature ______________

4 consider ______________

5 value ______________

6 native ______________

7 추가의, 부가적인 ______________

8 상인 ______________

9 열정 ______________

10 국가 ______________

11 문맹의 ______________

12 기관, 조직, 단체 ______________

B 우리말과 뜻이 같도록 주어진 단어를 사용하여 문장을 완성하시오.

1 밖이 어두웠기 때문에 알렉스는 나갈 수 없었다. (Alex, can, go out, because, outside)

____

2 나는 우리 부모님에게 공주라고 불린다. (call, Princess, parents)

____

3 내 딸은 나에게 그녀가 가장 좋아하는 장난감을 보여주었다. (show, her favorite toy)

____

C 〈보기〉의 단어를 사용하여 요약된 글을 완성하시오.

보기	open	library	reading	degree

Yohannes Gebregeorgis is a hero for bringing ____________ to his native Ethiopia. He studied ____________ science in the US and worked in a San Francisco library. In 2002, he returned to Ethiopia to ____________ libraries in the capital.

Unit 10 37 Being Over-sensitive

A 영어는 우리말로, 우리말은 영어로 쓰시오.

1 sneeze ______________

2 mold ______________

3 harmless ______________

4 treatment ______________

5 release ______________

6 antibody ______________

7 가려운 ______________

8 반응 ______________

9 ~을 삼키다 ______________

10 숨 쉬다, 호흡하다 ______________

11 물질, 구성 요소 ______________

12 먼지 ______________

B 우리말과 뜻이 같도록 주어진 단어를 사용하여 문장을 완성하시오.

1 그의 여동생은 그 문제를 풀 만큼 충분히 영리하다. (smart, enough to, solve the problem)

____

2 그녀는 그렇게 멋진 장소를 본 적이 없다. (never, see, such a great place)

____

3 그는 내가 요가 수업에 등록하게 했다. (make, sign up for, a yoga class)

____

C 〈보기〉의 단어를 사용하여 요약된 글을 완성하시오.

보기	harmless	itchy	symptoms	examples

An allergen is a ____________ substance which causes allergic reactions in some people. Some ____________ are pollen, medicines, or food items, such as peanuts. ____________ of an allergic reaction include rashes, vomiting, or even trouble breathing.

Unit 10 38 Flying on a Skateboard

A 영어는 우리말로, 우리말은 영어로 쓰시오.

1 trick ________________
2 attempt ________________
3 famous ________________
4 wheel ________________
5 ankle ________________
6 jump over ________________
7 직업적인, 프로의 ________________
8 성공적으로 ________________
9 필요한 ________________
10 착륙하다 ________________
11 세계 기록을 보유하다 ________________
12 ~의 목표를 달성하다 ________________

B 우리말과 뜻이 같도록 주어진 단어를 사용하여 문장을 완성하시오.

1 전구는 에디슨에 의해 최초로 발명되었다. (the light bulb, invent, Edison, for the first time)

____

2 네가 그 개를 씻기는 데 약 30분이 걸릴 것이다. (it, take, about 30 minutes, wash)

____

3 이 컴퓨터들 중 일부는 우리 삼촌에 의해 수리되었다.(some of these computers, fix)

____

C 〈보기〉의 단어를 사용하여 요약된 글을 완성하시오.

보기	lands	holds	tricks	records

You can use a skateboard for doing a few cool ____________. But Danny Way is a professional skateboarder with many world ____________. He ____________ the record for the highest air jump and the longest jump.

Unit 10 39 Angkor Wat

A 영어는 우리말로, 우리말은 영어로 쓰시오.

1 rule ______________
2 occupy ______________
3 capital ______________
4 explorer ______________
5 restore ______________
6 worship ______________
7 제국 ______________
8 사원, 신전 ______________
9 반도 ______________
10 떼 지어 모이다 ______________
11 기도하다 ______________
12 보호 ______________

B 우리말과 뜻이 같도록 주어진 단어를 사용하여 문장을 완성하시오.

1 그 성은 1850년과 1854년 사이에 지어졌다. (castle, build, between A and B)

____

2 자유의 여신상은 자유의 상징이다. (the Statue of Liberty, symbol, freedom)

____

3 그 파티 이후로, 그녀는 춤에 관심을 가지게 되었다. (since the party, be interested in)

____

C 〈보기〉의 단어를 사용하여 요약된 글을 완성하시오.

보기	complex	fall	ancient	capital

Angkor Wat was built in the ____________ city of Angkor. This was the ____________ of the Khmer Empire in present-day Cambodia. The Angkor Wat temple was forgotten after the ____________ of the Khmer Empire until 1860.

Unit 10 40 The Aborigines of Australia

A 영어는 우리말로, 우리말은 영어로 쓰시오.

1 archaeologist ______________
2 decline ______________
3 population ______________
4 belief ______________
5 apologize ______________
6 spread ______________
7 ~보다 뛰어난 ______________
8 대륙 ______________
9 관습, 풍습 ______________
10 차별, 차별 대우 ______________
11 토착의, 그 지역 고유의 ______________
12 도처에 ______________

B 우리말과 뜻이 같도록 주어진 단어를 사용하여 문장을 완성하시오.

1 그의 에세이는 내 것보다 낫다. (essay, be superior to, mine)

____

2 나는 자유 시간이 있을 때 주로 독서를 한다. (when, have, free time, usually, books)

____

3 사이먼은 기차를 타기 위해 빨리 달렸다. (Simon, fast, catch the train)

____

C 〈보기〉의 단어를 사용하여 요약된 글을 완성하시오.

보기	destroy	decline	traditional	continent

The Aborigines of Australia came to the ____________ over 40,000 years ago. Europeans arriving in the 1800s began to ____________ their population and culture. Today they continue to fight for their ____________ way of life.

THIS IS READING

전면 개정판

중등부터 고등까지 **모든 독해의 확실한 해결책 !**

★ 실생활부터 전문적인 학술 분야까지 **다양한 소재의 지문 수록**

★ 서술형 내신 대비까지 제대로 준비하는 **문법 포인트 정리**

★ 지문 이해 확인 또 확인, **본문 연습 문제 + Review Test**

★ 정확하고도 빠른 지문 읽기 **직독직해 연습**

★ 원어민의 발음으로 듣는 전체 **지문 MP3** (QR 코드 & www.nexusbook.com)

★ 확실한 마무리 3단 콤보 **WORKBOOK**

MP3 바로가기

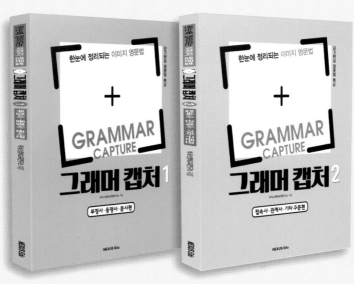

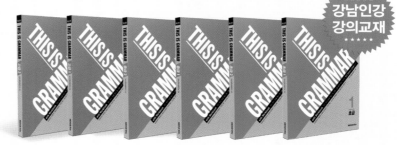

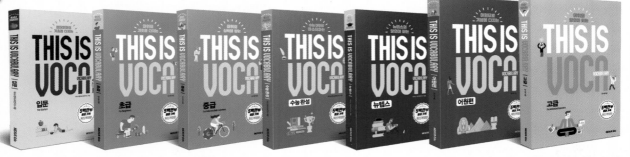

NEXUS Edu

LEVEL CHART

	초1	초2	초3	초4	초5	초6	중1	중2	중3	고1	고2	고3
VOCA	초등필수 영단어 1–2 · 3–4 · 5–6학년용											
VOCA					The VOCA + (플러스) 1~7							
VOCA			THIS IS VOCABULARY 입문 · 초급 · 중급					고급 · 어원 · 수능 완성 · 뉴텝스				
VOCA							WORD FOCUS 중등 종합 5000 · 고등 필수 5000 · 고등 종합 9500					
Grammar			초등필수 영문법 + 쓰기 1~2									
Grammar			OK Grammar 1~4									
Grammar			This Is Grammar Starter 1~3									
Grammar					This Is Grammar 초급~고급 (각 2권: 총 6권)							
Grammar						Grammar 공감 1~3						
Grammar						Grammar 101 1~3						
Grammar						Grammar Bridge 1~3 (NEW EDITION)						
Grammar						The Grammar Starter, 1~3						
Grammar							한 권으로 끝내는 필수 구문 1000제					
Grammar								구사일생 (구문독해 Basic) 1~2				
Grammar									구문독해 204 1~2 (개정판)			
Grammar										고난도 구문독해 500		
Grammar								그래머 캡처 1~2				
Grammar									[특급 단기 특강] 어법어휘 모의고사			

MP3 바로가기

전면 개정판

THIS IS READING

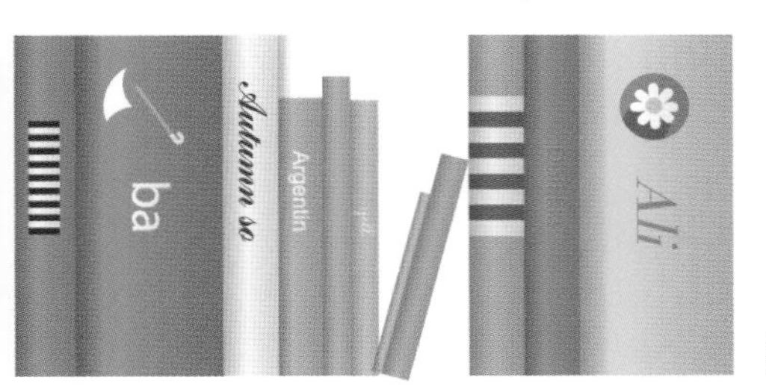

독해의 확실한 해결책

with Workbook
어휘 테스트
통문장 영작
본문 요약 완성

넥서스영어교육연구소 지음

정답 및 해설

NEXUS Edu

THIS

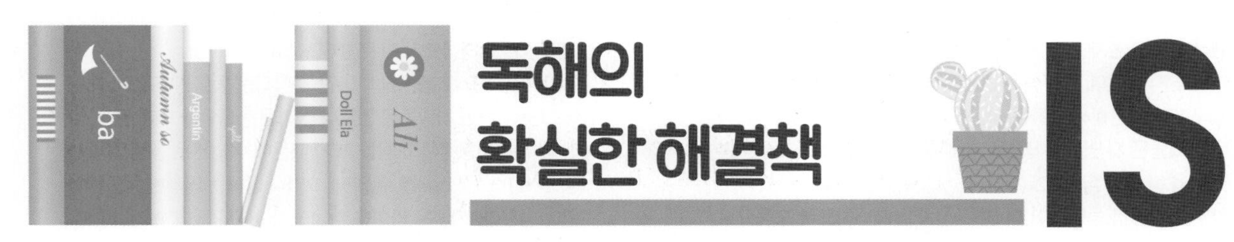

독해의
확실한 해결책

IS

READING

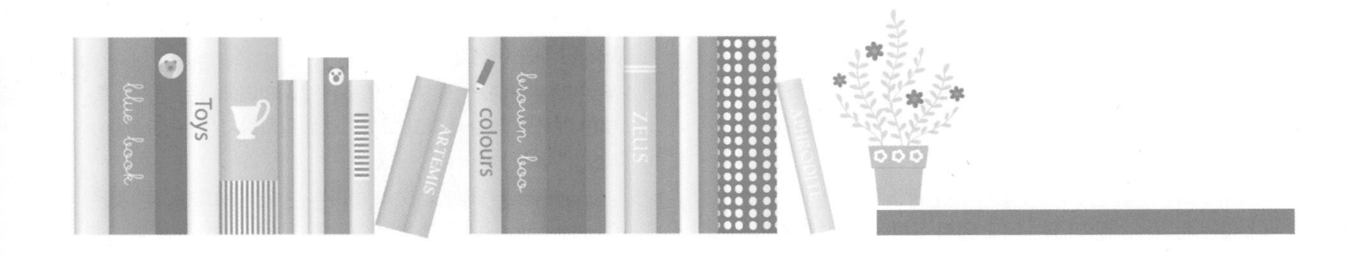

1

정답 및 해설

NEXUS Edu

Unit 01

01 | Hungry World p. 10

1 ④ 2 ② 3 ⑤ 4 ②

| 본문 해석 |

기근은 많은 사람들이 갑자기 충분한 먹을 것이 없을 때 발생한다. 이는 관심을 끌고 긴급 지원을 받는다. 그러나 굶주림은 이 세상에 항상 존재한다. 수백만 명이 끊임없이 굶주리고 관심을 거의 받지 못한다. 굶주림은 빈곤에 의해 야기되는 보이지 않는 상태이다. 가난한 사람들은 식량을 사기 위해 돈이 필요하다. 아니면 그들은 자신들의 식량을 재배해야 한다. 그리고 그들은 손에 넣을 수 있는 식량이 필요하다.
일부는 가난한 농민들이 더 많은 식량을 재배하도록 도움으로써 굶주림을 퇴치한다. 간단한 방법들이 때로는 농가의 생산량을 증가시킬 수 있다. 만약 여성들이 농사를 짓고 동물들을 기를 수 있다면, 빈곤한 지역들은 더 많은 식량을 가지게 된다.
많은 굶주린 사람들은 충분한 식량이 있는 나라에 살고 있다. 그러나 그 사람들은 도로가 없기 때문에 식량을 얻을 수 없다. 그래서 푸드 뱅크에 식량을 저장하는 것은 식량이 부족한 시기에 좋다. 모든 식량의 약 3분의 1은 이용할 수 없기 때문에 먹을 수 없다.

| 문제 해설 |

1 이 글은 기아가 항상 존재하고 수백만의 사람들이 굶주림에 시달리고 있지만, 기아의 해결책으로 농가의 생산량을 증가시키는 방법과 푸드 뱅크에 식량을 저장하는 방법을 제시하고 있으므로 ④가 요지로 가장 적절하다.

2 빈칸 바로 뒤 문장에서 가난한 사람들에 대해 이야기하고 있으므로 빈칸에는 ② poverty(빈곤, 가난)가 가장 적절하다.
① 국가 ③ 부, 재산 ④ 돈 ⑤ 전쟁

3 '그러나 그 사람들은 도로가 없기 때문에 식량을 얻을 수 없다.'라는 문장은 식량이 있는데도 얻지 못하는 이유를 말하고 있으므로 ⑤ (E)에 들어가는 것이 가장 자연스럽다.

4 푸드 뱅크에 식량을 저장하면 식량이 부족한 기간에 이용할 수 있다고 하였으므로 일치하는 것은 ②이다.

| 직독 직해 |

• 기근은 발생한다 / 사람들이 갑자기 가지고 있지 않을 때 / 충분한 식량을
• 일부는 굶주림을 퇴치한다 / 가난한 농민들을 도움으로써 / 더 많은 식량을 재배하도록
• 많은 굶주린 사람들은 / 나라에 살고 있다 / 충분한 식량을 가진

02 | Singapore Night Safari p. 12

1 ② 2 ④ 3 ②
4 대부분의 동물들은 낮잠을 자기 때문에

| 본문 해석 |

싱가포르 동물원은 매일 밤 야간 사파리를 개장한다. 대부분의 사파리는 동물들이 야생 지역에 있어서 사람들은 동물들을 보기 위해 장시간 여행을 해야 한다. 때때로 사람들은 사파리에 가서 동물들을 하나도 보지 못할 때도 있다.
그러나 싱가포르 동물원의 야간 사파리는 동물원에 있기 때문에 그곳에 가면 사람들은 언제나 놀라운 동물들을 보게 된다. 낮에 대부분의 동물들이 잠을 자기 때문에 여러분은 동물들이 사냥하거나 노는 것을 볼 수 없다. 그러나 밤에는 이러한 동물들이 힘이 넘친다. 그들은 먹이를 사냥하거나 친구들과 놀거나 매우 재미있는 다른 것들을 한다. 야간 사파리에서 여러분은 걷거나 특별한 기차를 탈 수 있다. 기차는 걸어서 갈 수 없는 곳으로 여러분을 데려다준다. 여러분이 흥미로운 동물원을 찾고 있다면 싱가포르 동물원의 야간 사파리를 방문해 보아라. 후회하지 않을 것이다!

| 문제 해설 |

1 매일 밤 야간 개장하는 싱가포르 동물원의 사파리에 대해 설명하는 글이므로 ② a zoo in Singapore that can be visited at night(밤에 갈 수 있는 싱가포르의 동물원)이 주제로 가장 적절하다.
① 싱가포르 여행객들의 특징 ③ 밤에 활동하는 동물을 싫어하는 사람들 ④ 싱가포르의 동물원에 가는 방법 ⑤ 싱가포르에서만 사는 야생 동물들

2 두 번째 문단에서 싱가포르 동물원의 사파리에서는 걷거나 특별한 기차를 탈 수 있다고 하였으므로 일치하지 않는 것은 ④이다.

3 sometimes는 '때때로, 가끔'이라는 뜻으로 의미가 다른 것은 ② all the time(내내, 줄곧)이다.

4 두 번째 문단에서 대부분의 동물들은 낮에 잠을 잔다고 하였다.

| 직독 직해 |

• 싱가포르 동물원은 가지고 있다 / 야간 사파리를 / 주중 매일 밤에
• 밤에 / 그러나 / 이 동물들은 가지고 있다 / 많은 힘을
• 기차는 데려다준다 / 여러분을 / 장소들로 / 여러분이 갈 수 없는 / 걸어서

03 | Fruitarians p. 14

1 ① 2 ⑤ 3 ⑤ 4 ②

| 본문 해석 |

영어권 국가의 사람들 대부분이 채식주의자와 절대 채식주의자에 대해서 안다. 하지만 대부분의 사람들은 과식주의라 불리는 훨씬 더 엄격한 식이요법에 대해 들어본 적이 없다. 과식주의자는 과일만 먹겠다고 결심한 사람들이다. 일부 사람들은 종교적인 이유로 과식주의자가 된다. 또 다른 사람들은 가장 건강하게 사는 방법이라 생각해서 과식주의자가 된다. 과식주의는 지키기 어려운 식이요법이기 때문에 세상에는 과식주의자가 많지 않다. (녹차 식이요법은 사람들이 여분의 칼로리를 태우는 것을 도울 수 있다.) 그렇다 하더라도 여러분이 들어 봤을지도 모르는 몇몇 유명한 과식주의자가 있다. 인도가 독립 국가가 되도록 도왔던 지도자 마하트마 간디는 한때 과식주의자였다. 애플 컴퓨터 회사를 설립한 스티브 잡스 또한 한때 과식주의자였다.
과식주의자들 중 많은 사람은 이 식이요법을 영구히 고수하지는 않는다. 식품학자들은 이것이 좋다고 생각한다. 과식주의는 일시적으로 좋은 식이요법일지는 모르지만, 그래도 사람이 건강하려면 과일과 더불어 다양한 음식을 먹을 필요가 있다.

| 문제 해설 |

1 이 글은 과식주의자에 관해 설명하고 있으므로 ①이 주제로 가장 적절하다.

2 (A)~(D)는 과식주의자에 대한 내용이지만, (E)는 녹차 식이요법에 대한 내용이므로 전체 흐름에 어긋난다. 따라서 정답은 ⑤ (E)이다.

3 첫 번째 문단에서 과식주의자는 건강을 위해 과일만 먹겠다고 결심한 사람이라고 하였으므로 일치하는 것은 ⑤이다.

4 빈칸이 있는 문장은 but(그러나)을 중심으로 대조를 이루고 있다. 과식주의는 일시적으로는 좋을 수 있지만, 과일과 더불어 다양한 음식을 먹을 필요가 있다고 말하고 있으므로 빈칸에는 ② healthy(건강한)가 가장 적절하다.
① 아름다운 ③ 행복한 ④ 마른 ⑤ 살찐

| 직독 직해 |

- 과식주의자들은 사람들이다 / 결심한 / 과일 외에 아무것도 먹지 않겠다고
- 있다 / 몇몇 유명한 과식주의자가 / 여러분이 들어 봤을지도 모르는
- 많은 사람들은 / 과식주의자인 / 고수하지 않는다 / 이 식이요법을 / 영구히

04 | A Warm Spice p. 16

1 ③ 2 ② 3 ① 4 ③

| 본문 해석 |

계피나무의 적갈색 속껍질은 우리가 계피라고 부르는 향신료를 준다. 사람들은 수천 년 동안 고기와 카레 요리에 풍미를 더하는 데 계피를 사용해 왔다. 전통 한의학은 계피가 따뜻한 성질을 가지고 있는 것으로 보았다. 그것은 감기와 독감을 완화시키기 위해 차에 혼합되었다.
카시아 계피는 인도네시아와 중국 또는 베트남에서 재배된다. 그것은 강한 향을 가지고 있고 가게에서 널리 판매된다. 더 비싼 실론 계피는 대부분 스리랑카에서 재배된다. 이것은 더 부드럽고 달콤한 맛을 가지고 있다. 이것은 빵을 구울 때와 커피 또는 핫초코의 풍미를 더하는 데 좋다. 계피의 맛과 향은 신남알데히드에서 나온다. 계피나무 껍질의 기름에는 그것이 들어 있다.
계피나무가 2년이 되면, 재배업자들은 줄기를 짧게 잘라 그것을 흙으로 덮는다. 그러고 나면 나무에서 새로운 가지들이 돋아나 관목처럼 자란다. 양지에 놓아두면, 나무껍질은 깃 모양으로 돌돌 말린다. 이것이 우리가 가게에서 사는 계피 막대를 생산한다. 계피는 서양에서 후추 다음으로 두 번째로 가장 인기 있는 향신료이다.

| 문제 해설 |

1 실론 계피는 대부분 스리랑카에서 재배된다고 하였으므로 일치하지 않는 것은 ③이다.

2 shoot는 '햇가지'를 의미하므로 ② branches(가지들)가 의미상 가장 가깝다.
① 잎들 ③ 방향들 ④ 불 ⑤ 방법들

3 '이것은 더 부드럽고 달콤한 맛을 가지고 있다.'라는 문장은 계피의 특정한 종류에 대해 설명하는 것이므로 ① (A)에 들어가는 것이 가장 자연스럽다.

4 사람들이 계피를 사용하여 부드러운 기름을 생산한다는 ③의 내용은 언급되어 있지 않다.

| 직독 직해 |

- 그것은 혼합되었다 / 차에 / 감기와 독감을 완화시키기 위해
- 재배업자들은 자른다 / 줄기를 짧게 / 그리고 그것을 덮는다 / 흙으로
- 이것은 생산한다 / 계피 막대를 / 우리가 사는 / 가게에서

Review Test (01 ~ 04) p. 18

1 ②	2 ⑤	3 happen
4 contain	5 energetic	6 ①

7 because of → because

8 a gift me → me a gift (또는 a gift to me)

9 Green tea diet may help people burn a few extra calories.

10 Cinnamon is the second most popular spice in the West.

| 문제 해설 |

1 famine은 '기아'라는 의미로 ② hunger(굶주림)가 의미상 가장 가깝다.
[기아는 아프리카에 널리 퍼져있다.]
① 전쟁 ③ 가난 ④ 음식 ⑤ 야생

2 vegan은 '절대 채식주의자'라는 의미로 ⑤ vegetarian(채식주의자)이 의미상 가장 가깝다.
[우리 언니는 절대 채식주의자이다.]
① 의사 ② 농부 ③ 요리사 ④ 사냥꾼

[3~5]

| 보기 | 일어나다 활동적인 완화하다 들어 있다 국가

3 아무도 내일 무슨 일이 일어날지 모른다.

4 저 병들에는 탄산음료가 들어 있다.

5 우리 삼촌은 매우 활동적인 사람이다.

6 ①은 의문사 '언제'로 쓰였지만, 나머지는 모두 부사절 접속사 '~할 때, ~하면'으로 쓰였다.
① 캐나다에 언제 처음 가봤니?
② 그녀가 처음 미국에 갔을 때 그녀는 겨우 6살이었다.
③ 전화가 울렸을 때 마이크는 책을 읽고 있었다.
④ 내가 일어났을 때 아침 6시였다.
⑤ 개를 산책시킬 때는 목줄을 걸어 놓으세요.

7 because of 뒤에는 단어나 구, because 뒤에는 [주어+동사]의 형태인 절이 나온다. 그러므로 because가 와야 한다.
[제니는 점심 약속이 있어서 외출했다.]

8 수여동사 뒤에는 [간접목적어(~에게)+직접목적어(~을/를)] 순으로 목적어가 뒤따른다. 간접목적어와 직접목적어의 순서를 바꿀 때에는 간접목적어 앞에 to나 for 등의 전치사가 필요하다.
[우리 부모님은 나에게 선물을 주었다.]

Unit 02

05 | Too Sweet p. 20

1 ⑤	2 ③	3 ⑤	4 ②

| 본문 해석 |

지난 수십 년간, 과다한 지방은 위험한 것으로 여겨졌고 저지방 식품이 인기를 얻게 되었다. 그 결과, 식품 제조업체들은 식품을 더 맛있게 만들기 위해 설탕을 첨가하기 시작했다. 현대 식습관의 해로운 부분으로 이제 초점은 설탕으로 바뀌었다.
디저트 음식에는 설탕이 많이 들어 있다. 또한, 설탕은 빵과 샐러드드레싱, 또는 에너지 바와 같은 포장 식품에도 들어 있다. 라벨에 식품이 자연식품이거나 건강에 좋다고 주장하고 있더라도, 맛을 위해 설탕이 첨가되었을지도 모른다. 영양 성분 라벨에 있는 총 설탕량은 단지 식품에서 자연적으로 발견된 설탕만을 말한다. 거기에는 첨가된 설탕이 포함되지 않는다. 그러므로 제품에 들어 있는 설탕의 실제 총량을 알기란 어렵다.
전문가들은 성인 남자에게 하루 9티스푼의 설탕이면 충분하다고 말한다. 여자와 아이들에게는 더욱 적은 양이 권장된다. 탄산음료 한 잔에는 11티스푼의 설탕이 첨가되어 있다. 과다한 설탕은 멍함, 당뇨병과 관련이 있다. 그것은 심지어 치매와 암과도 관련이 있다.

| 문제 해설 |

1 식품의 영양 성분 라벨에는 첨가된 설탕이 포함되지 않아서 설탕의 실제 총량을 알기 어렵다고 했으므로 일치하지 않는 것은 ⑤이다.

2 마지막 문단에서 과도한 설탕은 멍함, 당뇨, 치매, 암과 관련이 있다고 하였으므로 ③ What will too much sugar create? (과도한 설탕은 무엇을 일으키는가?)의 답을 알 수 있다.
① 샐러드드레싱에는 얼마나 많은 설탕이 들어 있나? ② 하루에 8티스푼의 설탕은 어린이에게 충분한가? ④ 세상에서 가장 건강에 좋지 않은 식품은 무엇인가? ⑤ 설탕보다 과다한 지방이 더 위험한가?

3 과거에 과다한 지방이 건강에 위험한 요소였지만 이제는 설탕이 식습관에 해로운 부분으로 바뀌었다고 했으므로 빈칸은 ⑤ focus(초점)가 가장 적절하다.
① 재능 ② 장면 ③ 위험 ④ 점수

4 식품제조업체들은 맛을 위해 설탕을 첨가한다고 하였으므로 ②가 가장 적절하다.

| 직독 직해 |

- 어렵다 / 설탕의 실제 총량을 아는 것은 / 제품 안에 있는
- 전문가들은 말한다 / 하루에 설탕 9티스푼은 / 충분하다고 / 성인 남자에게
- 너무 많은 설탕은 / 관련되어 있다 / 멍함과 당뇨병에

06 | The Great Tunguska Event p. 22

1 ③　2 ⑤　3 ④　4 ②

| 본문 해석 |

1908년 6월 30일에 러시아의 넓은 숲에서 매우 이상한 일이 벌어졌다. 숲에 살던 사람들은 매우 요란한 소리를 들었다. 다음으로 땅이 흔들렸고 강력한 바람으로 인해 창문이 깨졌다. 모든 것이 진정되자, 러시아 사람들은 무슨 일이 일어났는지 보려고 밖으로 뛰어나왔다. 그들은 숲에 있는 나무가 모두 쓰러진 것을 발견했다.

이 일은 퉁구스카라고 불리는 지역에서 발생했다. 그래서 이 사건은 퉁구스카 대사건으로 알려졌다. 오늘날 사람들은 정확하게 무슨 일이 일어났는지에 대해 여전히 의견이 일치하지 않는다. 한 가지 이론은 작은 블랙홀이 지구를 지나갔다는 것이다. 다른 사람들은 우주선이 우리 행성을 방문하러 오다가 충돌했다고 생각한다. 하지만 대부분의 사람들은 퉁구스카 대사건이 운석의 충돌에 의해 발생했다고 생각한다.

퉁구스카 대사건의 원인이 무엇이든지, 사람들이 거의 살지 않는 외딴 지역에서 발생한 것은 잘된 일이었다. 만약 혜성이 러시아의 수도인 모스크바와 같은 도시에 떨어졌다면 많은 사람이 죽었을 것이다.

| 문제 해설 |

1 러시아의 퉁구스카라는 지역에서 발생한 이상한 사건에 대해 말하고 있으므로 ③ the strange occurrence in Tunguska (퉁구스카에서 발생한 이상한 사건)이 가장 적절하다.
① 러시아 정부의 비밀 ② 러시아에 나타난 우주선 ④ 과거 러시아에서 일어났던 자연재해 ⑤ 블랙홀의 수수께끼

2 occurred는 '발생했다'라는 의미로 ⑤ happened(일어났다)가 의미상 가장 가깝다.
① 세웠다 ② 증가했다 ③ 발표했다 ④ 흔들렸다

3 빈칸이 있는 문장을 보면 사람들이 거의 살지 않는 지역에서 발생했다는 것으로 보아 빈칸에는 ④ remote(멀리 떨어진)가 가장 적절하다.
① 도시 ② 근처에 ③ 가까운 ⑤ 혼잡한

4 대부분의 사람들은 운석의 충돌에 의해 발생했다고 생각하므로 ②가 가장 적절하다.

| 직독 직해 |

- 사람들은 / 숲에 살고 있던 / 들었다 / 매우 시끄러운 소리를
- 그들은 발견했다 / 숲에 있는 모든 나무들이 / 쓰러져 있는 것을
- 한 이론은 이다 / 아주 작은 블랙홀이 / 지구를 지나갔다는 것

07 | Seeing Rainbows p. 24

1 ③　2 ③　3 ④　4 ②

| 본문 해석 |

우리는 태양이 우리의 뒤에 있고 물방울들이 우리의 앞에 있을 때 무지개를 볼 수 있다. 무지개의 중심은 태양의 정반대에 있다. 그래서 우리는 주로 아치 모양만 볼 수 있다. 무지개의 완전한 원은 보이지 않는다. 물방울이 더 클수록, 아치의 색상들은 더 선명하다.

햇빛은 물방울에 부딪혀 우리에게 다시 반사된다. 다양한 색깔들은 여러 파장을 가지고 있다. 그래서 그것들은 굴절되거나 여러 각도로 구부러진다. 이러한 사실은 아이작 뉴턴 경에 의해 입증되었다. 그는 햇빛의 다양한 색깔들을 분리하기 위해 유리 프리즘을 이용했다. 그 색깔들은 빨강, 주황, 노랑, 초록, 파랑, 남색, 그리고 보라이다.

때때로 우리는 첫 번째 것보다 더 희미한 두 번째 무지개를 볼 수 있다. 이는 물방울에 두 번 반사된 빛에 의해 생겨난다. 흥미롭게도, 색깔의 순서가 뒤바뀐다. 달이 충분히 밝으면 우리는 달 무지개를 보는 것도 가능하다.

| 문제 해설 |

1 이 글은 무지개의 형태, 생성 원인, 색상 등 무지개에 관한 다양한 사실들을 말하고 있으므로 ③이 주제로 가장 적절하다.

2 물방울이 더 클수록, 아치의 색상들이 더 선명하다고 하였지 무지개의 색상이 다양해진다는 내용은 없다. 따라서 일치하지 않는 것은 ③이다.

3 무지개가 완전한 원이 아니라 주로 아치 모양인 이유는 태양의 정반대에 위치하기 때문이므로 ④가 정답이다.

4 fainter는 '더 희미한'이라는 뜻으로 ② dimmer(더 흐릿한)가 의미상 가장 가깝다.
① 더 강한 ③ 더 얇은 ④ 더 먼 ⑤ 더 낮은

| 직독 직해 |

- 더 클수록 / 물방울이 / 더 선명하다 / 아치의 색상들은
- 그는 사용했다 / 유리 프리즘을 / 분리하기 위해 / 햇빛의 다양한 색깔들을
- 이것은 생겨난다 / 빛에 의해 / 두 번 반사된 / 물방울로부터

08 | Choosing Your Path p. 26

1 ③ 2 ① 3 ⑤ 4 ③

| 본문 해석 |

대부분의 사람들은 평범한 직업을 가지고 있다. 그들은 매일 9시부터 6시까지 일을 하고 월급을 받는다. 그러나 평범하지 않은 직업을 가지고 있는 사람의 수가 증가하고 있다. 이러한 사람들은 모험을 좋아하거나 특별한 재능을 가지고 있는 경향이 있다. 사람들은 대학을 졸업하고 장기적인 직업을 갖는 과도기에 이러한 별난 직업을 가지는 일이 흔하다. 그러나 일부 사람들은 평생 동안 별난 직업을 갖는다. 여러분이 들어본 것 중에서 가장 별난 직업은 무엇인가?
이것들은 어떤가? 어떤 약품은 뱀의 독으로 제조된다. 누군가는 뱀으로부터 이러한 독을 얻어야 한다. 그래서 스네이크 밀커라고 불리는 사람들이 있다. 여러분은 병아리 감별사라고 들어본 적이 있는가? 병아리 감별사는 병아리의 성별을 구별하여, 이들을 분리하는 일을 한다. 웃음이 건강에 좋다는 것은 모든 사람이 다 알고 있다. 하루 종일 환자를 웃게 하는 웃음 치료사를 알고 있는가?
여러분은 커서 어떤 일을 하고 싶은가? 세상은 매력적인 기회들로 가득 차 있으니 첫 직업을 결정하기 전에 많이 생각해 보아라. 아마 별난 경험이 여러분을 기다리고 있을 것이다.

| 문제 해설 |

1 스네이크 밀커, 병아리 감별사, 웃음 치료사 등 별난 직업을 소개하고 있으므로 ③이 주제로 가장 적절하다.
2 '그들은 매일 9시부터 6시까지 일을 하고 월급을 받는다.'는 문장은 평범한 직업에 대한 설명이므로 ① (A)에 들어가는 것이 가장 자연스럽다.
3 빈칸이 있는 문장은 뒤의 But(그러나)이 이끄는 '그러나 일부 사람들은 평생 동안 별난 직업을 갖는다.'는 문장과 대조를 이루고 있고, 보통 사람들의 경우 대학 졸업과 장기적인 직장을 갖는 과도기에 잠시 별난 직업을 갖는 것이 '흔한'일이라고 해야 적절한 대조가 된다. 따라서 빈칸에는 ⑤ common(흔한)이 가장 적절하다.
① 드문 ② 추상적인 ③ 비슷한 ④ 어려운
4 스네이크 밀커가 어떠한 재능을 가지고 있는지는 언급되지 않았으므로 ③ What kind of talents does a snake-milker have?(스네이크 밀커는 어떤 재능을 가지고 있는가?)의 답을 알 수 없다.
① 웃음은 우리의 건강에 좋은가? ② 누가 뱀으로부터 독을 얻는가? ④ 병아리 감별사는 무슨 일을 하는가? ⑤ 누군가는 평생 동안 별난 직업을 갖는가?

| 직독 직해 |

• 있다 / 증가하는 사람의 수가 / 평범하지 않은 직업을 가지고 있는
• 어떤 약은 / 나온다 / 뱀의 독에서
• 모든 사람들은 안다 / 웃음이 좋다는 것을 / 여러분의 건강에

Review Test (05 ~ 08) p. 28

1 ② 2 ⑤ 3 agree
4 cause 5 separate 6 ⑤
7 is he → he is 8 the wise → the wiser
9 Sugar is in packaged foods like bread, salad dressing, or energy bars.
10 People still do not agree about exactly what happened.

| 문제 해설 |

1 tiny는 '작은'이라는 의미로 ② big(큰)이 반대말이다.
[새로 태어난 강아지들은 아주 작았다.]
① 귀여운 ③ 약한 ④ 날씬한 ⑤ 살찐
2 unusual은 '평범하지 않은, 이상한'이라는 의미로 ⑤ normal(정상적인)이 반대말이다.
[그는 몇몇 이상한 습관들이 있다.]
① 재미있는 ② 유용한 ③ 나쁜 ④ 오래된

[3~5]

| 보기 | 동의하다 주장하다 반사하다 야기하다 분리하다

3 테드는 우리의 계획에 동의하지 않았다.
4 나쁜 식습관은 건강 문제를 야기할 수 있다.
5 달걀 하나를 깨서 노른자와 흰자를 분리하세요.
6 ⑤는 a가 '~당, ~마다'라는 per의 뜻으로 쓰였지만, 나머지는 '하나의'라는 뜻으로 쓰였다.
① 헬렌은 강아지 한 마리와 고양이 두 마리를 키우고 있다.
② 새 한 마리가 나뭇가지에 앉아 있다.
③ 나는 점심식사 후에 차 한 잔을 마셨다.
④ 선반 위에 책이 한 권 있다.
⑤ 우리 삼촌은 일주일에 두 번 체육관에 간다.
7 의문사가 없는 간접의문문은 [if/whether+주어+동사]의 어순이므로 he is가 와야 한다.
[그가 오늘 오는지 알고 있니?]
8 [the 비교급 ~, the 비교급 ~]은 '~하면 할수록 더 …하다'라는 의미이다. 따라서 wise는 비교급 형태인 wiser가 와야 한다.
[그녀는 나이가 들수록 더욱 현명해졌다.]

Unit 03

09 | Rock Climbing
p. 30

1 ④ 2 ② 3 ⑤ 4 ④

| 본문 해석 |

암벽 등반을 하는 것을 배우기는 쉬워 보일지 모르지만, 전문가들은 그것을 제대로 하기 위해서 적절한 훈련을 받아야 한다고 말한다. 기억해야 할 몇 가지 즉석 팁은 팔보다 다리를 더 많이 사용하는 것이다. 다리는 팔보다 더 많은 근육을 가지고 있다. 다리는 너무 지치지 않고 암벽을 올라가는 비결이다. 팔보다 다리로 오르는 것이 더 쉽다.
팔로 매달려야만 할 때는, 곧게 펴고 있도록 노력해라. 지탱하기 위해 팔 근육을 사용하는 것은 너무 힘든 일이다. 여러분은 원숭이들이 하는 방식처럼 팔로 느슨하게 매달림으로써 에너지를 비축할 수 있다. 물론, 팔로만 흔들지 않도록 해라.
또한, 전문 암벽 등산화를 이용하는 것을 배워야 한다. 그 고무 밑창은 여러분이 인식할 수 있는 것보다 더 많은 접지력을 가지고 있다. 그것은 암벽과 갈라진 틈에 아주 잘 붙게 할 수 있다. 만약 여러분이 꼼짝 못하게 되면, 먼저 발의 위치를 움직인 다음에 팔을 움직이도록 해라.

| 문제 해설 |

1 암벽 등반을 할 때 다리를 사용하는 것이 중요하다고 말하며 다리를 사용하는 방법에 관해 설명하고 있으므로 ④가 가장 적절하다.
2 빈칸 바로 뒤 문장을 보면 암벽 등산화의 고무 밑창은 암벽과 갈라진 틈에 아주 잘 붙게 할 수 있다고 하였으므로 고무 밑창의 '접지력'에 대한 설명이다. 따라서 빈칸에는 ② grip(접지력)이 가장 적절하다.
① 힘 ③ 공간 ④ 크기 ⑤ 무게
3 암벽 등반 신발이 하이킹 신발과 비슷하다는 말은 언급되지 않았으므로 일치하지 않는 것은 ⑤이다.
4 stuck은 '움직일 수 없는'이라는 뜻으로 ④ trapped(꼼짝 못하는)가 의미상 가장 가깝다.
① 혼란스러운 ② 닫힌 ③ 압착된 ⑤ 잃어버린

| 직독 직해 |

- 그것들은 가지고 있다 / 더 많은 근육을 / 여러분의 팔보다
- 더 쉽다 / 오르는 것이 / 여러분의 다리로 / 팔보다
- 여러분은 배워야 한다 / 이용하는 것을 / 여러분의 전문 암벽 등산화를

10 | Dining with Dogs
p. 32

1 ② 2 ④ 3 ⑤ 4 ④

| 본문 해석 |

모든 다른 식당과는 매우 다른 식당이 하나 있다. 이유가 뭘까? 종업원이 사람이 아니다. 어떻게? 그러면 종업원이 사람이 아니면, 어떤 동물일지 추측할 수 있을까? 이 동물은 오랜 시간 인간을 도운 역사가 있다. 그렇다, 정답은 우리의 충성스러운 동료이자 최고의 친구인 개이다. 개들은 여러 시각 장애인과 청각 장애인들을 오랫동안 도와 왔다. 개들은 신체적인 장애가 있는 사람들을 수십 년 동안 도와주고 있다.
그래서 당연히 개는 웨이터가 될 수 있다. 그러나 어떻게 가능할까? 손님들이 자리에 앉으면 손님 중 한 사람이 개를 부른다. (B) 손님들은 테이블 위에 있는 메뉴에 기입을 하고 그것을 개의 배낭에 넣는다. (D) 그러면 개는 그 메뉴를 부엌으로 가지고 간다. (A) 손수레 하나가 개에게 연결된다. (C) 그러고 나서 주방장이 음식을 손수레에 올려놓으면 개는 음식을 배고픈 손님들에게 가져다준다. 손님들은 그들을 도와준 영리한 개에게 열심히 일한 대가로 간식을 주어 보답한다.

| 문제 해설 |

1 일반적인 식당과는 달리 개가 종업원인 식당에 관해 말하고 있으므로 ②가 주제로 가장 적절하다.
2 (B) 손님이 테이블 위에 있는 메뉴를 기입하면, (D) 개는 메뉴를 가지고 부엌으로 가서, (A) 자신에게 연결된 손수레에, (C) 요리사가 요리를 실어 주면 손님에게 가져다준다는 내용이 되어야 하므로 ④가 가장 자연스럽다.
3 밑줄은 '개를 부른다'는 의미로 ⑤ to get the dog to come by talking to it(개에게 오도록 말을 거는 것)이 가장 적절하다.
① 전화를 거는 것 ② 새로운 이름을 지어 주는 것 ③ 어떤 일이 일어나는 것을 막는 것 ④ 무엇인가를 지불하도록 요청하는 것
4 손님들의 주문을 받고 음식도 가져다주는 개를 설명하는 말이 들어가야 하므로 빈칸에는 ④ clever(영리한)가 가장 적절하다.
① 예의 바른 ② 정직한 ③ 어리석은 ⑤ 창의적인

| 직독 직해 |

- 이 동물은 가지고 있다 / 긴 역사를 / 인간을 도운
- 손님들은 작성한다 / 메뉴를 / 테이블 위에 있는
- 개는 배달한다 / 음식을 / 배고픈 손님들에게

11 | Wedding Traditions p. 34

1 ③ 2 ② 3 ④ 4 ⑤

| 본문 해석 |

'매듭을 묶다'라는 표현은 결혼하는 것을 의미한다. 그것은 영국과 유럽의 고대 켈트 전통인 손을 맞잡고 하는 약혼에서 유래한다. 사람들은 신랑과 신부의 결합을 상징하기 위해 실제 끈으로 그들의 손을 함께 묶었다. 만약 결혼이 1년 동안 성공적이었다면, 부부는 다시 식을 올릴 수 있었다. 이번에, 그들은 또 다른 1년이나 평생을 약속할 수 있다.

고대 노르웨이 문화에서, 신혼부부들은 결혼 후 한 달 동안 숨어 있곤 했다. 가족들은 새신랑과 신부에게 그들이 마실 허니 와인을 조금 가져다주었다. 한 달 동안 허니 와인을 마셨던 것이 '허니문'이라는 용어의 기원이다.

오늘날 여러 층의 웨딩 케이크는 고대 영국의 결혼식에서 행해진 키스 게임에서 유래되었다. 사람들은 여러 개의 케이크를 차례로 쌓아 올렸고 커플은 케이크를 쓰러뜨리지 않고 서로 키스하려고 애를 썼다. 케이크에 설탕을 입힌 것은 더 나중에 등장했다. 또한, 하얀 웨딩드레스는 영국의 빅토리아 여왕이 1840년에 그녀의 결혼식에서 입은 후로 인기를 얻게 되었다. 그 이전에는, 신부들이 대개 결혼식 날에 그저 자신들의 가장 좋은 드레스를 입었다.

| 문제 해설 |

1 오늘날 결혼 풍습에 영향을 미친 다양한 결혼 전통에 대해 말하고 있으므로 ③이 가장 적절하다.

2 한 달 동안 마신 것은 꿀이 아니라 허니 와인이다. 따라서 일치하지 않는 것은 ②이다.

3 tie는 '묶다'라는 뜻으로 ④ bind(묶다, 감다)가 의미상 가장 가깝다.
① 버리다 ② 풀다 ③ 돌리다 ⑤ 파다

4 결혼식을 다시 올릴 때에는 또 다른 1년이나 평생을 약속하는 것이므로 빈칸에는 ⑤ promise (약속하다)가 가장 적절하다.
① 감독하다 ② 바꾸다 ③ 붙잡다 ④ 헤어지다

| 직독 직해 |

- 그것은 유래한다 / 고대 켈트 전통인 손을 맞잡고 하는 약혼 / 영국의
- 고대 노르웨이 문화에서 / 신혼부부들은 숨어 있곤 했다 / 한 달 동안
- 신부들은 대개 입었다 / 자신들의 가장 좋은 드레스를 / 결혼식 날에

12 | The Mary Celeste p. 36

1 ③ 2 ③ 3 ④
4 배에 아무도 없다고 생각했기 때문에

| 본문 해석 |

'메리 셀레스트 호'는 1872년 12월 초에 대서양에서 발견된 상선이었다. 날씨가 화창하고 식량과 마실 수 있는 물이 많았지만, 배에는 아무도 없었다. '메리 셀레스트 호'는 어떻게 유령선이 되었을까?

'메리 셀레스트 호'는 또 다른 배인 '데이 그라티아 호'에 의해 발견되었다. '데이 그라티아 호'의 선장은 배에 아무도 없다는 생각이 들자 선원들에게 '메리 셀레스트 호'를 수색하라고 말했다. 배를 수색한 사람들은 없어진 것이나 특이하게 보이는 것이 전혀 없었으므로 너무나 이상하다고 생각했다. 배의 모든 장비와 옷은 있어야 할 자리에 있었다. 단지 선원들만 없었다!

몇몇 사람들은 쓰나미, 용오름, 또는 심지어 해적 때문에 선원들이 배를 버릴 수밖에 없었다고 생각한다. 하지만 가장 그럴싸한 이유는 '메리 셀레스트 호'에 실린 1,701통의 알코올이었다. 통들 중 일부가 새기 시작했다. 선원들은 아마도 공기 중에 있는 알코올의 냄새를 맡고 폭발을 두려워해서 배를 버렸을 것이다. 하지만 확실하게 아는 사람은 아무도 없다. 유령선인 '메리 셀레스트 호'는 수수께끼로 남아 있다.

| 문제 해설 |

1 absent는 '없는'이라는 뜻으로 ③ missing(실종된)이 의미상 가장 가깝다.
① 보내진 ② 틀린 ④ 있는 ⑤ 버려진

2 '배를 수색한 사람들은 없어진 것이나 비정상적인 것이 전혀 없었으므로 너무나 이상하다고 생각했다.'라는 문장은 배를 수색한 사람들이 배를 수색하면서 생각한 것으로 ③ (C)에 들어가는 것이 가장 자연스럽다.

3 선원들이 배를 버린 이유로 ④ '시간 여행'은 언급되지 않았다.

4 '데이 그라티아 호'의 선장은 '메리 셀레스트 호'를 발견했을 때 배에 아무도 없다는 생각이 들어 선원들에게 수색하라고 말했다.

| 직독 직해 |

- 아무도 없었다 / 배에는 / 날씨가 화창했지만
- 배의 모든 장비와 옷은 있었다 / 그것들의 정확한 자리에
- 선원들은 냄새를 맡았다 / 공기 중에 있는 알코올의 / 그리고 두려워했다 / 폭발을

Review Test (09~12) p. 38

1 ⑤ 2 ② 3 expert
4 rewarded 5 decade 6 ①
7 go → to go 8 would → used to
9 You should learn to use your specialized rock climbing shoes.
10 There is a restaurant that is very different from all other restaurants.

| 문제 해설 |

1 proper는 '적절한'이라는 의미로 ⑤ correct(적절한)가 의미상 가장 가깝다.
[내가 이를 닦는 적절한 방법을 보여줄게.]
① 효과적인 ② 시끄러운 ③ 희미한 ④ 이용할 수 있는

2 companions는 '친구들, 동료들'이라는 의미로 ② friends(친구들)가 의미상 가장 가깝다.
[짐은 나의 가장 가까운 친구 중 하나이다.]
① 어린이들 ③ 관리들 ④ 근로자들 ⑤ 가족들

[3~5]

| 보기 | 전통 포기한 전문가 10년 보상했다

3 그는 컴퓨터 프로그램 전문가이다.
4 그의 어머니는 그에게 방을 청소한 것에 대해서 초콜릿으로 보상했다.
5 그가 한국을 떠난 이후로 10년이 지났다.
6 ①은 의문사 '언제'로 쓰였지만, 나머지는 모두 부사절 접속사 '~할 때, ~하면'으로 쓰였다.
① 점심을 언제 먹었니?
② 나는 어린아이였을 때, 런던에 살았다.
③ 서울에 오면 내게 전화해.
④ 자라서 무엇이 되고 싶니?
⑤ 그가 그것을 할 때면 우스워 보인다.
7 allow는 목적보어로 to부정사를 취하므로 to go가 와야 한다.
[우리 어머니는 내가 파티에 가는 것을 허락해 주셨다.]
8 used to는 과거의 상태나 습관을 나타낼 때 사용하지만, would는 습관을 나타낼 때만 사용한다. 따라서 예전에 있었던 나무가 지금은 없다는 과거의 상태이므로 used to가 와야 한다.
[우리 집 앞에는 키가 큰 나무가 있었다.]

Unit 04

13 | Warrior Princess p. 40

1 ⑤ 2 ② 3 ③
4 식물에서 나오는 유독한 공기로부터 자신을 보호하기 위해

| 본문 해석 |

애니메이션 영화인 〈바람 계곡의 나우시카〉는 지구가 전쟁으로 파괴된 미래에서 일어난다. 인간 생존자들은 끔찍한 오염 물질, 왕국 간의 싸움, 위험한 동물들이 가득한 위험한 세계에서 살고 있다.
나우시카는 깨끗한 숲과 농지가 있는 바람의 계곡이라 불렸던 작은 왕국의 공주이다. 그녀는 엔진이 있고 위에 올라앉은 것을 제외하면 행글라이더와 비슷한 제트 글라이더를 탄다. 그녀는 식물에서 나오는 유독한 공기로부터 자신을 보호하기 위해 방독면을 쓴다.
어느 날, 큰 비행기 몇 대가 땅으로 추락한다. 나우시카는 가서 죽기 직전인 한 탑승객을 발견한다. 라스텔이라는 그 공주는 그녀에게 선박의 화물을 파괴해 달라고 부탁한다. 그 화물에는 유독성 식물들과 치명적인 괴물들이 들어 있다. 곧 나우시카의 왕국은 토르메키아 왕국의 크샤나 공주의 침략을 받는다. 나우시카는 그녀의 고향을 되찾기 위해 싸워야만 한다. 그녀는 의사소통할 수 있고 전투에 이용할 수 있는 오무라고 불리는 거대한 곤충들의 도움을 받는다.

| 문제 해설 |

1 영화의 배경을 설명하면서 나우시카가 했던 일들에 대해 이야기하고 있으므로 ⑤ what Nausicaa does in the story(이야기 속에서 나우시카가 한 것)가 가장 적절하다.
① 인류의 미래 기술 ② 바람의 계곡이 정복당한 방법 ③ 나우시카가 공주가 되었던 이유 ④ 환경적 붕괴의 위험들
2 나우시카는 큰 비행기 몇 대가 땅으로 추락한 것을 보고 거기서 탑승객이었던 라스텔 공주를 발견한 것이지 자신이 비행기 추락을 당한 것이 아니다. 따라서 일치하지 않는 것은 ②이다.
3 빈칸 이후를 살펴보면 나우시카가 자신의 고향을 되찾기 위해 싸워야만 한다고 했으므로 크샤나 공주의 침략을 받은 것을 유추할 수 있다. 따라서 빈칸에는 ③ invaded(침략을 받은)가 가장 적절하다.
① 방문된 ② 도움을 받은 ④ 방해를 받은 ⑤ 부상을 입은
4 나우시카는 식물에서 나오는 유독한 공기로부터 자신을 보호하기 위해 방독면을 쓴다고 하였다.

| 직독 직해 |

- 생존자들은 산다 / 위험한 세계에서 / 끔찍한 오염 물질로 가득 찬
- 나우시카는 이다 / 작은 왕국의 공주 / 바람의 계곡이라고 불리는
- 바로 라스텔이다 / 그녀에게 요청한 / 화물을 파괴해 달라고 / 배에 있는

14 | Noodling

p. 42

1 ③　2 ②　3 ④　4 ⑤

| 본문 해석 |

사람들은 낚시를 생각하면 일반적으로 그물이나 낚싯대 심지어 창을 떠올린다. 그러나 미국 남부 지방에서 일부 사람들은 맨손으로 물고기를 잡는다. 이러한 종류의 낚시를 누들링이라고 하며 이 스포츠에 참여하는 사람을 보통 누들러라고 한다. 누들러들은 메기가 살고 있는 구멍을 찾은 다음 그들의 팔을 구멍 속에 넣고 기다린다. 커다란 메기가 누들러의 손을 물면 누들러는 가능한 한 빨리 메기를 물속에서 건져낸다. (일부 메기는 크고 무겁고 국수는 생선과 먹으면 좋다.)

누들링은 재미있는 스포츠이지만 위험하기도 하다. 다른 동물들이 메기가 사는 구멍을 자신들의 집으로 삼으려고 하기 때문이다. 메기의 구멍에 살기 좋아하는 동물 중 하나는 비버이다. 그것은 나무를 자르는 데 사용하는 큰 이빨을 가진 동물이다. 메기 구멍에 사는 또 다른 동물은 악어거북이다. 그것은 강한 턱을 가지고 있다. 이러한 동물들 때문에 일부 누들러들은 손가락을 잃기도 했다.

| 문제 해설 |

1 이 글은 미국 남부 지방에서 맨손으로 물고기를 잡는 누들링이라는 스포츠에 대해 이야기하고 있으므로 ③이 요지로 가장 적절하다.

2 비버와 악어거북이 메기가 사는 구멍에 살기 좋아한다고 하므로 정답은 ②이다.

3 밑줄이 있는 문장을 살펴보면 큰 이빨을 가진 동물로 나무를 자르는 데 이빨을 사용한다고 하였으므로 It은 바로 앞 문장에 나온 ④ a beaver(비버)이다.
① 누들러 ② 물고기 ③ 메기 ⑤ 거북이

4 (A)~(D)는 누들링에 대해 설명하고 있지만, (E)는 메기의 모습과 noodle(국수)에 관한 내용으로 전체 흐름에 어긋난다. 따라서 정답은 ⑤ (E)이다.

| 직독 직해 |

- 누들러는 잡아당긴다 / 그것을 / 물 밖으로 / 가능한 한 빠르게
- 다른 동물들은 좋아한다 / 메기 구멍을 만드는 것을 / 자신의 집으로
- 또 다른 동물은 / 메기 구멍에 사는 / 악어거북이다

15 | Keeping It Cold

p. 44

1 ②　2 ④　3 ②　4 ⑤

| 본문 해석 |

영국 사람들은 1800년대 초에 아이스박스를 사용했다. 이것들은 대개 단순한 보관함이었다. 내부는 주석이나 아연으로 덮여 있었고 얼음으로 가득 차 있었다. 얼음이 녹은 물은 매일 버려져야 했다. 그리고 새 얼음 덩어리들은 정기적으로 가정에 배달되었다.

현대식 냉장고는 우리가 당연시하는 최근 발명품이다. 그러나 그것은 우리가 살고 음식을 먹는 방식에 혁명을 일으켰다. 제이콥 퍼킨스는 1834년에 최초의 현대식 냉장고를 발명했다. 그것은 냉각을 위해 증기 압축 시스템을 이용했다. 하지만, 그의 기계는 당시 아이스박스 산업이 매우 인기 있었기 때문에 인기를 끌지 못했다.

1910년대에, 여러 가지 압축기 형태의 냉장고들이 시중에 나왔다. 그러나 그것들은 작동하려면 기기에서 분리된 모터가 필요했다. 이것들은 지하실이나 옆방에 보관되었다. 프리지데어 회사는 1923년에 기기 안에 모터가 있는 자체 완비된 냉장고를 만들었다. 냉장고는 1940년대에 아주 인기를 끌게 되었고, 냉동식품이 슈퍼마켓에서 판매되기 시작했다.

| 문제 해설 |

1 냉장고는 아이스박스부터 여러 가지 압축기 형태의 냉장고까지 점차 진화하였으므로 ②가 요지로 가장 적절하다.

2 be covered with '~로 덮여 있다', be filled with '~로 가득 차다'이므로 빈칸에 공통으로 들어가는 것은 ④ with이다.

3 처음으로 현대식 냉장고를 사용한 사람에 관해서는 언급되어 있지 않으므로 ② Who used the modern refrigerators first?(최초로 현대식 냉장고를 사용한 사람은 누구인가?)의 답을 알 수 없다.
① 현대식 냉장고는 언제 인기를 끌었는가? ③ 1800년대에 영국인들은 냉장고로 무엇을 사용했나? ④ 최초로 현대식 냉장고를 발명한 사람은 누구인가? ⑤ 아이스박스를 사용하는 데 불편한 점은 무엇이었나?

4 현대식 냉장고가 등장했을 때 인기를 끌지 못한 이유는 아이스박스 산업의 인기 때문이라고 했으므로, 사람들은 옛날 방식인 아이스박스에 더 익숙했기 때문이라고 볼 수 있다. 따라서 정답은 ⑤이다.

| 직독 직해 |

- 물은 / 얼음이 녹은 / 버려져야 했다 / 매일
- 그것은 혁명을 일으켰다 / 방식에 / 우리가 살아가고 음식을 먹는
- 그것들은 필요로 했다 / 모터를 / 기기에서 분리된 / 작동하기 위해

16 | Poisonous Frogs p. 46

1 ⑤ 2 ⑤ 3 ③

4 개구리의 독에는 화학 성분이 있고 다른 종류의 약보다 효과가 좋기 때문에

| 본문 해석 |

독화살 개구리는 다른 개구리들과 다른 삶을 살아간다. 대부분의 개구리는 낮에 자고 밤에 깨어 있어, 그들을 잡아먹을지도 모르는 다른 동물들로부터 안전할 것이다. 그러나 독화살 개구리는 낮에 활동을 한다. 그들의 생존 비밀이 무엇인지 아는가? 그들은 위협을 느낄 때 그들을 잡아먹으려는 포식자들을 단순히 접촉하는 것으로 독살할 수 있다.

독화살 개구리는 동물 세계에서 가장 강한 독을 만들지만, 이 개구리들은 인간에게 매우 중요하다. 일부 사람들은 독화살 개구리의 독을 사용하기 위해 이 개구리들을 잡는다. 예를 들어, 파나마의 그노브족은 화살 끝에 이 개구리들의 독을 묻힌다. 그들은 이렇게 하면 사냥이 훨씬 쉬워진다고 말한다. 동물들은 독이 묻은 화살이 몸에 닿자마자 죽는다.

다른 사람들은 독화살 개구리의 독을 약을 만드는 데 사용한다. 독화살 개구리의 독에는 화학 성분이 있다. 이 화학 성분으로 사람들은 진통제, 심장병 치료제, 그리고 사람들이 체중을 줄이는 데 도움이 되는 약을 만들 수 있다. 이 특별한 개구리들로부터 만든 약은 다른 종류의 약보다 효과가 좋다.

| 문제 해설 |

1 이 글은 독화살 개구리에 관해 이야기하면서 독화살 개구리의 독이 동물 사냥에 유용하고 약을 만드는 데 이용된다고 하였으므로 ⑤가 요지로 가장 적절하다.

2 독화살 개구리는 낮에 활동하며 독을 이용해 포식자들로부터 자신을 보호한다고 하였으므로 일치하는 것은 ⑤ They use their poison to be safe.(그들은 안전을 위해 독을 사용한다.)이다.
① 그들은 오직 밤에만 깨어 있다. ② 그들은 보호색을 가지고 있다. ③ 그들은 파나마에서만 산다. ④ 그들은 가끔 사람들을 보호한다.

3 빈칸이 있는 문장을 보면 동물들이 죽는 이유는 독이 묻은 화살에 접촉했을 때로 추론할 수 있다. 따라서 빈칸에는 ③ touches(접촉하다)가 가장 적절하다.
① 냄새 맡다 ② 맛보다 ④ 구르다 ⑤ 보내다

4 세 번째 문단에서 독화살 개구리의 독에는 화학 성분이 있고 다른 약보다 효과가 좋다고 했다.

| 직독 직해 |

- 독화살 개구리들은 산다 / 다른 종류의 삶을 / 다른 개구리들과
- 일부 사람들은 잡는다 / 독화살 개구리를 / 그들의 독을 사용하기 위해
- 다른 사람들은 사용한다 / 개구리의 독을 / 약을 만드는 데

Review Test (13 ~ 16) p. 48

1 ⑤ 2 ③
3 imaginary 4 invention
5 different 6 ④
7 sooner → soon
8 the way how → how (또는 the way)
9 The inside was covered with tin or zinc and filled with ice.
10 Do you know what their secret to survive is?

| 문제 해설 |

1 destroyed는 '파괴된'이라는 의미로 ⑤ built(건설된)가 반대말이다.
[마을 전체가 홍수에 의해 파괴되었다.]
① 계획된 ② 고안된 ③ 마친 ④ 팔린

2 continued는 '계속했다'라는 의미로 ③ stopped(멈췄다)가 반대말이다.
[그들은 잠깐의 휴식 후 토의를 계속했다.]
① 시작했다 ② 유지했다 ④ 창조했다 ⑤ 열었다

[3~5]

| 보기 | 다른 정기적으로 상상의 발명품 유독한

3 유니콘은 상상의 동물이다.

4 전구는 토마스 에디슨에 의한 발명품이었다.

5 고양이와 개는 여러 측면에서 다르다.

6 ④는 전치사 '~처럼'으로 쓰인 반면, 나머지는 동사 '~을 좋아하다'로 쓰였다.
① 나는 기타 치는 것을 좋아한다.
② 헬렌은 스키와 수영을 좋아한다.
③ 너는 한국 음식을 좋아하니?
④ 내 남동생은 돼지처럼 먹는다.
⑤ 피자를 조금 먹어봐, 맛이 좋을 거야!

7 [as+형용사/부사의 원급+as possible]은 '가능한 한 ~하게'라는 의미로 원급인 soon이 와야 한다.
[되도록 빨리 오도록 해.]

8 선행사 the way와 관계부사 how는 함께 쓰일 수 없다. 선행사나 관계부사 둘 중 하나는 생략되어야 한다.
[기계는 그렇게 켜는 거야.]

Unit 05

17 | Farming Our Fish

p. 50

1 ③ 2 ② 3 ③ 4 ⑤

| 본문 해석 |

세계 인구는 지난 60년간 74억으로 두 배가 되었다. 그리고 오늘날 사람들은 과거보다 더 많은 매년 17kg의 생선을 먹는다. 이는 어류 개체 수에 큰 압력을 가해 왔다. 과학자들은 오늘날의 바다에는 과거와 비교해 큰 어류들이 겨우 10%정도 있다고 생각한다. 이제 지중해와 북해 일부는 생명체가 너무 적기 때문에 불모지대가 되었다.
국가들은 그들이 어획할 수 있는 양에 제한이 있다. 때때로 그들은 한도를 늘리려고 노력한다. 전문가들은 이러한 한도들이 이미 너무 높다고 생각한다. 한 가지 해결책은 어류를 양식하는 것이다. 오늘날 세계 어류의 절반은 양식된다. 중국에서 섭취되는 생선의 80%는 양식 어류이다. 그러나 이것이 모든 문제를 해결하지는 않는다.
어류 양식은 먹이로 야생의 더 작은 물고기들을 필요로 한다. 그래서 더 작은 물고기들 또한 멸종되고 있다. 또한, 양식장은 많은 오염 물질을 만들어낸다. 이러한 오염 물질이 대개 물속으로 버려져 더 많은 야생 생물을 죽인다. 그리하여 양식장의 항생 물질들은 환경에 해로운 질병을 관리하는 데 사용된다.

| 문제 해설 |

1 두 번째와 세 번째 문단에서 어류 양식에 대한 내용이 나오는데 ③ '어류 양식의 과학적 발전'에 대한 내용은 언급되지 않았다.

2 세계 인구는 지난 60년 동안 두 배가 되었고 오늘날 사람들은 과거보다 더 많은 생선을 먹는다고 했으므로, 이런 현상은 어류의 개체 수 (감소)에 '큰' 압력을 주었을 것이다. 따라서 빈칸은 ② huge(큰)가 가장 적절하다.
① 정상적인 ③ 깨끗한 ④ 온화한 ⑤ 지저분한

3 세계 양식 어류의 80%가 아니라 중국에서 섭취되는 어류의 80%가 양식 어류라고 하였으므로 일치하지 않는 것은 ③이다.

4 control은 '관리하다, 통제하다'라는 뜻으로 ⑤ manage(관리하다, 다루다)가 의미상 가장 가깝다.
① 치료하다 ② 수리하다 ③ 측정하다 ④ 교정하다

| 직독 직해 |

- 오늘날 사람들은 먹는다 / 17kg의 생선을 / 매년 / 과거보다 더 많은
- 국가들은 가지고 있다 / 제한을 / 얼마나 많이 / 그들이 물고기를 잡을 수 있는지
- 어류 양식은 필요로 한다 / 야생의 더 작은 물고기들을 / 먹이를 위해

18 | Hearing Music in Color?

p. 52

1 ⑤ 2 ⑤ 3 ① 4 ③

| 본문 해석 |

여러분은 음악을 들을 때 색이 들리는가? 눈을 감고 음악을 감상해 보아라. 마음을 편안하게 하고 어떤 색상이 떠오르는지 보아라. 이것을 친구와 함께 해 보아라. 여러분은 같은 음악을 듣는 동안 같은 색이 보인다는 것을 발견하게 될지도 모른다.
어떤 음은 일부 사람들에게 빨간색을 보이게 한다. 하프 연주를 들으면 여러분은 금색이 보일지도 모른다. 음악이 변하면서 색상들은 더 밝아지거나 더 어두워질지도 모른다. 시끄럽고 강한 음은 새빨간 색을 보게 할지도 모른다. 음악이 조용해지면 검붉은 색이 보일 수도 있다. 고음을 생각해 보아라. 일반적으로 사람들은 밝은 색을 본다. 그런데 음이 점점 깊어질수록 빨간색은 검은색으로 서서히 변할 것이다. 만약 노래가 점점 밝아진다면 빨간색은 하얀색으로 바뀔 것이다.
때때로 평범한 소리도 사람들에게 색을 보이게 한다. 시끄러운 경보음을 들으면 색이 보이는가? 문이 세게 닫히는 소리를 들으면 색이 보이는가? 집에서 실험을 해 보고 보이는 색을 기록해 보아라.

| 문제 해설 |

1 음악이나 소리를 들을 때 색이 보이는 것에 대해 이야기하고 있으므로 ⑤가 주제로 가장 적절하다.

2 때때로 평범한 소리도 사람들에게 색을 보이게 한다고 했으므로 ⑤는 글의 내용과 일치하지 않는다.

3 시끄럽고 강한 음악을 들으면 새빨간 색이 보인다고 하였으므로 ① a loud, strong note(시끄럽고 강한 음)가 가장 적절하다.
② 하프 음악 ③ 아주 높은 음 ④ 시끄러운 자동차 또는 주택 경보음 ⑤ 부드러운 음악

4 빈칸이 있는 문장은 노래가 밝아지는 변화에 따라 색상 역시 바뀐다는 내용이 되어야 하므로 빈칸에는 ③ turn into(~한 상태로 변하다)가 가장 적절하다.
① 넣다 ② 끄다 ④ 벗다 ⑤ 판명되다

| 직독 직해 |

- 마음을 편안하게 하도록 해라 / 그리고 보아라 / 어떤 색상이 떠오르는지 / 여러분에게
- 음악이 변하면서 / 색상들은 될지도 모른다 / 더 밝아지거나 혹은 더 어두워지거나
- 음이 점점 더 깊어지면 / 빨간색은 변할 것이다 / 검은색으로

19 | Warmer Winters p. 54

1 ④ 2 ② 3 ③ 4 ③

| 본문 해석 |

미국 북동부의 평균 기온이 1900년대에 화씨 2도만큼 상승했다. 그리고 이러한 추세는 아마도 금세기에 계속될 것이다. 이는 더 많은 무더위와 더 많은 강수량을 의미한다. 이는 가축들에게 스트레스를 줘서 더 적은 우유를 생산하고 더 적은 새끼들을 갖게 할 수 있다. 그러면 농부들은 전보다 더 적은 돈을 벌게 될 것이다. 많은 비는 또한 홍수를 일으키고 농작물에 피해를 줄 수도 있다.
더 짧아진 겨울과 또 더 따뜻해진 겨울은 스키 리조트들에 안 좋을 수 있다. 북동부의 리조트들은 지역 경제를 위해 매년 76억 달러를 벌어들인다. 사람들은 스키와 스노모빌을 타고, 얼음 낚시를 하며, 스케이트를 타는 데 돈을 지불한다. 더 짧아진 겨울철은 이런 사업체들이 더 적은 돈을 버는 것을 의미한다.
(B) 스키 리조트들이 문을 연다 해도, 땅에 눈이 없으면 사람들은 스키를 탈 수 없다. (A) 리조트들은 인공 눈을 만들기 위해 노력할 수 있다. (C) 하지만 이는 추가의 시간과 돈, 전기가 든다. 그리고 야간 온도는 인공 눈이 녹지 않을 만큼 추워야 한다. 겨울이 너무 따뜻하면 이는 가능하지 않을 수도 있다.

| 문제 해설 |

1 날씨가 더워지고 비가 많이 오면 농업에 안 좋은 영향을 주고, 겨울이 더 짧아지고 더 따뜻해지면 스키 리조트와 같은 사업들에 경제적으로 불리한 영향을 준다고 했으므로 알 수 있는 것은 ④이다.

2 trend는 '추세, 경향'이라는 뜻으로 ② pattern(방향, 경향)이 의미상 가장 가깝다.
① 증거 ③ 이유 ④ 표시 ⑤ 수도, 자본

3 빈칸이 있는 문장을 보면 미국 북동부의 리조트들은 매년 76억 달러를 번다고 하였는데 '북동부'라는 한정된 지역과 '76억 달러'라는 경제적 금액에 비추어 빈칸에는 ③ local economy(지역 경제)가 가장 적절하다.
① 사교 능력 ② 도덕적 원칙 ④ 정치적 합의 ⑤ 자연 발달

4 (B) 스키 리조트들이 문을 연다 해도, 땅에 눈이 없으면 스키를 탈 수 없고, (A) 그래서 리조트들은 인공 눈을 만들어야 하지만, (C) 이는 추가적인 노력들이 필요하다는 글의 흐름이 자연스럽다. 따라서 정답은 ③이다.

| 직독 직해 |

- 많은 비는 또한 일으킬 수 있다 / 홍수를 / 그리고 농작물에 피해를 줄 수 있다
- 더 짧아진 겨울과 또 더 따뜻해진 겨울은 / 안 좋을 수 있다 / 스키 리조트에
- 더 짧아진 겨울철은 의미한다 / 이런 사업들이 버는 것을 / 더 적은 돈을

20 | An Underground City p. 56

1 ② 2 ④ 3 ⑤
4 로마 정부로부터 몸을 숨기고 종교적인 학대를 피하기 위해서

| 본문 해석 |

지하에 살고 싶었던 적이 있는가? 우리는 선천적으로 햇빛과 신선한 공기를 좋아하기 때문에 대부분의 사람들에게 이것은 그리 멋진 생각처럼 들리지 않는다. 만약 지하에 사는 것에 관심이 있다면 데린쿠유를 방문해 보아라. 데린쿠유는 터키에 있는 고대 지하 도시이다. 이 지하 도시에는 집, 교회, 동물 보호소, 음식 저장소, 음식을 먹을 장소 등이 있었다. 실제로 데린쿠유 도시는 매우 정교하게 유지가 잘 되어서 5만 명의 사람들이 편안하게 살 수 있었다. 사람들은 로마 정부로부터 몸을 숨기고, 종교적인 학대를 피하기 위해 데린쿠유에 살았다. 이 지하 세계에 살았던 사람 중 일부는 단 한 번도 지상에 올라가지 않고 평생을 지하에서 살았다.
데린쿠유는 오늘날 인기 있는 관광 명소이다. 많은 관광객이 지하 생활에 호기심을 갖는다. 하지만 관광이 끝나면 관광객 대부분은 푸른 하늘과 밝은 태양을 다시 볼 수 있는 것에 행복해한다.

| 문제 해설 |

1 고대 지하 도시인 데린쿠유에 대해 설명하고 있으므로 ② life underground in the city of Derinkuyu(데린쿠유 도시에서의 지하 생활)가 주제로 가장 적절하다.
① 지하에 사는 생명체 ③ 고대 터키 건물의 발견 ④ 로마에 있는 유명한 지하 도시들 ⑤ 로마의 관광지들

2 빈칸 바로 뒤 문장은 관광객들이 다시 하늘과 태양을 보게 되면 행복해할 것이라는 내용이므로 지하 도시 데린쿠유를 관광하고 난 이후의 반응으로 볼 수 있다. 따라서 빈칸에는 ④ sightseeing(관광)이 가장 적절하다.
① 무역 ② 경제 ③ 연구 ⑤ 산업

3 데린쿠유에 살았던 사람 중 일부는 단 한 번도 지상에 올라가지 않았다고 했으므로 일치하는 것은 ⑤이다.

4 첫 번째 문단의 마지막 부분을 살펴보면 사람들은 로마 정부로부터 몸을 숨기고 종교적인 학대를 피하기 위해 데린쿠유에 살았음을 알 수 있다.

| 직독 직해 |

- 만약 지하에 사는 것이 흥미를 끈다면 / 당신에게 / 데린쿠유를 방문해 보아라
- 데린쿠유는 이다 / 고대 지하 도시 / 터키에 있는
- 많은 관광객들은 행복하다 / 푸른 하늘을 보게 되어 / 다시

Review Test (17~20) p. 58

1 ①　2 ③　3 dump
4 experiment　5 artificial　6 ②
7 Salmons → Salmon
8 money enough → enough money
9 Night time temperatures must be cold enough not to melt the artificial snow.
10 Derinkuyu was so elaborate that 50,000 people could comfortably live there.

| 문제 해설 |

1 diseases는 '질병들'이라는 의미로 ① illness(병)가 의미상 가장 가깝다.
[더러운 물을 마시는 것은 질병을 일으킬 수 있다.]
② 약물들 ③ 치료들 ④ 죽음 ⑤ 백신들

2 entire는 '전체의'라는 의미로 ③ whole(전부의)이 의미상 가장 가깝다.
[우리는 하루 종일 집에서 보냈다.]
① 대부분 ② 약간의 ④ 제로의 ⑤ 절반의

[3~5]

| 보기 | 정교한　온도　버리다　인공적인　실험

3 나는 누군가가 강에 쓰레기를 버리는 것을 보았다.
4 몇 명의 학생들이 실험실에서 실험을 하고 있다.
5 이 사탕들은 인공 감미료가 들어 있다.
6 ②의 Feeling은 분사구문으로 쓰인 반면, 나머지는 동명사로 쓰였다.
① 선생님이 되는 것은 쉽지 않다.
② 그는 피곤해서 잠자리에 들었다.
③ 케빈은 새로운 사람들을 만나는 것을 좋아한다.
④ 나는 축구 클럽에 가입하는 것에 관심이 있다.
⑤ 내 꿈은 배우가 되는 것이다.
7 salmon은 단수형과 복수형이 같다.
[연어는 알을 낳기 위해서 상류로 거슬러 헤엄친다.]
8 enough는 명사 앞이나 형용사, 부사 뒤에 놓인다.
[나는 돈이 충분히 있다.]

Unit 06

21 | A Country from Africa p. 60

1 ⑤　2 ②　3 ③　4 ②

| 본문 해석 |

모로코는 스페인과 알제리에 매우 가까운 아프리카의 북서쪽 해안에 자리 잡고 있다. 수도는 라바트지만, 가장 큰 도시는 카사블랑카이다. 그곳은 지중해와 대서양의 양쪽에 해안을 가지고 있다. 산들뿐만 아니라 넓은 사막들도 있다. 많은 와디, 즉 계절적인 강들은 산에서부터 남쪽의 사막으로 흐른다. 현지 사람들은 그것들을 이용해 작물을 재배한다.
공용어는 아랍어이고, 모국어는 베르베르어이다. 거의 모든 사람들이 아랍어를 할 수 있지만, 3분의 1은 베르베르어를, 3분의 1은 프랑스어를 한다. 모든 학교에서는 프랑스어를 가르친다. 그 이유는 1956년까지 모로코가 프랑스의 식민지였기 때문이다. 일부는 영어를 배우고 북부의 일부는 스페인어를 한다.
영어 명(名) 모로코는 스페인 명(名) 마르뤠코스에서 온 것이다. 라틴어 명(名)은 '신의 땅'이라는 의미의 마라케시였다. 이란과 파키스탄, 그리고 인도의 일부 지역에서는 아직도 이렇게 불린다. 아랍어 명(名) 알 마그리브는 '서쪽의 왕국'이라는 뜻이다. 모로코는 다른 북아프리카 나라들과 마찬가지로 이슬람 문화를 가지고 있다. 모로코 달력에서 가장 큰 행사는 라마단이다.

| 문제 해설 |

1 알 마그리브(서쪽의 왕국)는 인도어가 아닌 아랍어 명이므로 일치하지 않는 것은 ⑤이다.
2 sit는 '위치하다'라는 뜻이므로 ② is located(위치해 있다)가 의미상 가장 가깝다.
① 단결된다 ③ 창조된다 ④ 분리된다 ⑤ 건설된다
3 them은 현지 사람들이 작물을 재배하기 위해 사용하는 것이므로 앞 문장의 rivers(강들)를 가리킨다. 따라서 정답은 ③이다.
① 산들 ② 작물들 ④ 계절들 ⑤ 사막들
4 모로코는 과거에 프랑스의 식민지였으므로 국민의 3분의 1이 프랑스어를 쓰며 모든 학교에서도 프랑스어를 가르친다고 하였다. 따라서 정답은 ②이다.

| 직독 직해 |

- 그곳의 수도는 이다 / 라바트 / 하지만 그곳의 가장 큰 도시는 이다 / 카사블랑카
- 그것은 때문이다 / 모로코가 였던 / 프랑스의 식민지
- 가장 큰 행사는 / 모로코 달력에서 / 라마단이다

22 | People of the North p. 62

1 ② 2 ② 3 ③ 4 ⑤

| 본문 해석 |

이누이트족은 캐나다, 그린란드, 알래스카 지방에 살고 있는 사람들이다. 일부 지역에서 이누이트 사람들은 에스키모로 불린다. 수세기에 걸쳐 고래, 바다코끼리, 바다표범, 물고기가 그들의 주된 식량이었다. 이누이트족에게 썰매는 매우 중요한 교통수단이다. 그들은 한 장소에서 다른 장소로 이동할 때면, 개들이 끄는 썰매를 사용한다.
제2차 세계 대전이 끝난 이후로 그들의 삶은 많이 변하고 있다. 비행기와 같은 현대 교통수단의 발달로, 북극 지방은 더 이상 도달하기에 불가능한 곳이 아니다. 학교와 병원이 지어졌고, 이제 이누이트족 아이들은 학교에 다니면서 세계 다른 지역의 문화를 배운다. 좀 더 작은 집단 출신의 많은 이누이트족이 영구 정착지로 이동하고 있으며, 안정된 직업을 찾고 싶어 한다. 불행하게도 언젠가는 식량을 구하기 위해 사냥을 하고 자신들의 전통적인 집인 이글루에서 사는 이누이트족의 모습을 볼 수 없을지도 모른다.

| 문제 해설 |

1 이 글은 북극 지방에 살고 있는 이누이트족의 주식, 교통수단, 삶의 변화 등을 이야기하고 있으므로 ② The Inuit People Living in the Far North(먼 북쪽 지방에 살고 있는 이누이트 사람들)가 가장 적절하다.
① 에스키모의 전통적인 집인 이글루 ③ 남극에 사는 사람들 ④ 이누이트족 인구의 감소 ⑤ 캐나다의 북부 지역

2 두 번째 문단에서 언젠가는 이누이트족이 사냥을 하거나 이글루에 사는 모습을 볼 수 없을지도 모른다고 하였으므로 유추할 수 있는 것은 ②이다.

3 means는 '수단'이라는 뜻으로 ③ method(방법)가 의미상 가장 가깝다.
① 장소 ② 재산 ④ 현재 ⑤ 의미

4 빈칸 앞에서 비행기와 같은 편리한 교통수단이 언급되고 있으므로 빈칸에는 ⑤ impossible to reach(도달하기에 불가능한)가 가장 적절하다.
① 극도로 추운 ② 수색할 지역 ③ 삶에 적절한 ④ 살기에 편한

| 직독 직해 |

- 고래와 물고기는 이었다 / 그들의 주된 식량 / 수세기 동안
- 썰매는 이다 / 매우 중요한 수단 / 교통의 / 이누이트족에게
- 이누이트족 아이들은 이제 배운다 / 문화에 대해 / 세계 다른 지역의

23 | A Modern Day Treasure Hunter p. 64

1 ④ 2 ③ 3 ③
4 Mr. Stemm and his company, Odyssey Marine Exploration

| 본문 해석 |

그레그 스템 씨는 완벽한 직업을 가지고 있다. 그는 잃어버린 보물을 찾는 전문 보물 사냥꾼이다. 그는 깊은 바다를 조사하고 복원하는 진정한 현대의 개척자이다. 스템 씨는 자신의 일을 간단하게 설명한다. "우리는 깊은 바다에서 난파선을 발견하여 복원합니다."
그렇다. 스템 씨는 놀라운 보물로 가득 찬 침몰선을 찾는다. 그는 난파선을 찾기 위해 수중 음파 탐지기, 위성지도 그리고 다른 첨단 기술을 사용한다. 스템 씨와 그의 회사 오디세이 해양 탐사는 깊은 바닷속의 보물을 찾는 데 모든 시간을 보낸다.
가장 최근에는 대서양에서 보물을 발견했다. 그들은 5억 달러로 추정되는 금과 은을 실은 침몰한 지 200년 된 스페인 배를 발견했다. 그는 다음 난파선을 '찾고 복원하는' 자금으로 쓰기 위해 금과 은 그리고 공예품들을 판매한다.
비록 위험이 있지만 스템 씨는 모험을 계속한다. 그에게는 아직도 탐사할 장소가 많이 남아 있다. 그는 여전히 조사할 곳이 3,000군데는 있다고 생각한다. 수많은 금은보화가 발견되기를 기다리고 있다!

| 문제 해설 |

1 스템 씨는 보물로 가득 찬 난파선을 찾기 위해 수중 음파 탐지기와 위성지도 그리고 다른 첨단 기술을 사용한다고 하였으므로 ④가 가장 적절하다.

2 대서양에서 발견한 금과 은이 5억 달러로 추정된다고 하였으므로 ③ They are worth a lot of money.(값어치가 많이 나간다.)를 유추할 수 있다.
① 침몰한 배의 원인이다. ② 배에 싣기에 너무 무겁다. ④ 팔기가 너무 어렵다. ⑤ 물고기에게 먹힌다.

3 빈칸이 있는 문장에서 위험이 있지만 모험을 계속할 것이라고 했으므로, 역접이나 양보를 나타내는 ③ Even though(비록 ~일지라도)가 가장 적절하다.
① 결과적으로 ② 그러므로 ④ 대조적으로 ⑤ ~ 때문에

4 200년 된 스페인 배를 발견한 They는 앞 단락에 나온 Mr. Stemm and his company, Odyssey Marine Exploration 이다.

| 직독 직해 |

- 그는 이다 / 현대의 개척자 / 깊은 바다에서 조사하고 발견하는
- 우리는 발견하고 복원한다 / 난파선을 / 깊은 바다에서
- 그는 생각한다 / 아직도 있다고 / 3,000곳의 가능한 지역이

24 | Abnormal Cells
p. 66

1 ⑤ 2 ④ 3 ②
4 유전적 변화들

| 본문 해석 |

유방암과 피부암, 폐암 등을 포함한 100개 이상의 다양한 종류의 암이 있다. 그 증상들은 암에 따라 다양하다. 그러나 모든 경우에, 암을 조기 발견하는 것이 치료와 완치를 가능하게 하는 핵심이다. 암 성장의 네 단계가 있다. 1단계가 가장 초기이고, 4단계가 가장 높다. 암의 일반적인 치료법은 수술과 화학 요법, 그리고 방사선이다.
암세포들은 국부 지역에서 퍼지거나 심지어 신체의 다른 부분으로 이동할 수도 있다. 그리고 그것들은 주변 세포들이 자신들에게 산소와 영양분을 공급하도록 새로운 혈관들을 만들어 낼 수 있다. 인체는 비정상적인 세포들을 제거하는 면역 체계를 가지고 있다. 그러나 일부 암세포들은 면역 체계로부터 숨을 수 있다.
암은 세포들의 비정상적인 성장이다. 그것은 암세포들을 걷잡을 수 없이 자라게 하는 유전적 변화들에 기인한다. 그것은 인체 어디에서든 시작될 수 있다. 암세포들은 종양이라고 부르는 세포 덩어리로 자라난다. 백혈병의 경우, 그것은 혈액 암이며, 고형 종양들이 없다.

| 문제 해설 |

1 암세포들이 주변 세포에게 새로운 혈관들을 만들도록 할 수 있다는 내용은 있지만 ⑤ '혈관의 화학적 구조'에 대한 내용은 언급되어 있지 않다.
2 백혈병은 혈액 암이며 고형 종양들이 없다고 했으므로, 모든 종양이 고형물질은 아니다. 따라서 사실과 다른 것은 ④이다.
3 masses는 '덩어리'를 뜻하므로 ② groups(덩어리)가 의미상 가장 가깝다.
① 고체 ③ 덮개 ④ 액체 ⑤ 흐름
4 암세포들이 비정상적으로 성장하는 것은 '유전적 변화들'에 기인한다고 하였다.

| 직독 직해 |

- 그 증상들은 다양하다 / 암에 따라
- 일부 암세포들은 / 숨을 수 있다 / 면역 체계로부터
- 암세포들은 자란다 / 세포 덩어리로 / 종양이라고 불리는

Review Test (21 ~ 24)
p. 68

1 ④ 2 ⑤ 3 native
4 surgery 5 attend 6 ②
7 two third → two thirds
8 are → is
9 It is caused by genetic changes that make cancer cells grow uncontrollably.
10 The Inuit are people who are living in the Arctic regions.

| 문제 해설 |

1 danger는 '위험'이라는 의미로 ④ safety(안전)가 반대말이다.
[그들은 위험에 직면하여 매우 용감했다.]
① 고요 ② 차분함 ③ 기쁨 ⑤ 군중
2 solid는 '고체의'라는 의미로 ⑤ liquid(액체의)가 반대말이다.
[온도가 0도 이하로 떨어지면 물은 고체가 된다.]
① 뜨거운 ② 차가운 ③ 따뜻한 ④ 시원한

[3~5]

| 보기 | 발전 모국의 참석하다 수술 다양하다

3 내 모국어는 한국어지만 나는 영어도 말할 수 있다.
4 그녀는 수술을 받은 후에 빠르게 회복되고 있다.
5 약 10명의 사람들이 회의에 참석할 것이다.
6 ②의 there는 '거기에'라는 의미를 가진 부사로 쓰인 반면, 나머지는 존재유무를 나타내는 유도부사로 쓰였다.
① 여기 누구 있나요?
② 김 선생님이 저기에서 기다리고 있어요.
③ 한국에는 산이 많다.
④ 여기에서 할 일이 많다.
⑤ 근처에 식당이 있나요?
7 분수는 [기수+서수]의 형태로 나타내는데, 분자가 2 이상이면 서수는 복수형을 취한다. 따라서 3분의 2는 two thirds로 나타내야 한다.
[조쉬는 바구니에 담긴 오렌지의 3분의 2를 먹었다.]
8 -s로 끝나는 학문명은 단수 취급한다. 따라서 동사도 단수 동사인 is가 와야 한다.
[수학은 내가 가장 좋아하는 과목이다.]

Unit 07

25 | Magnetic World p. 70

1 ③　　2 ③　　3 ④　　4 ②

| 본문 해석 |

'자석'이라는 단어는 적어도 기원전 600년의 고대 그리스어이다. 이 단어의 기원에 관한 두 가지 학설이 있다. 하나는 마그네스라는 이름의 한 그리스 목동이 그의 동료와 함께 자철석이라고 불리는 천연 자석을 발견했다는 것이다. 더 믿을 만한 학설은 그것이 고대 터키의 마그네시아라는 도시에서 유래한다는 것이다. 그 도시에는 자철석이 많이 있었다.
자석은 철, 니켈, 혹은 코발트와 같은 다른 자성 물질들을 끌어당기거나 밀어낼 수 있는 자기장을 만들어 낸다. 알루미늄, 구리, 은이나 금과 같은 다른 금속들은 자석에 의해 아주 약하게 영향을 받을 뿐이다. 그리고 자기장은 유리나 플라스틱과 같은 물질에는 아무런 영향을 미치지 않는다.
지구 자체는 하나의 거대한 자석이다. 지구의 핵은 그 안에 철이 있어서 지구 주위를 에워싸는 자기장을 가진다. 이 자기장은 태양 복사열로부터 지구를 보호한다. 이것이 없으면, 우리는 태양으로부터 안전하지 않은 수준의 우주 광선을 받게 될 것이다.

| 문제 해설 |

1 자철석의 무게에 관한 내용은 언급되지 않았으므로 일치하지 않는 것은 ③이다.

2 it이 있는 문장은 '자석'이라는 단어의 기원에 대한 내용이므로 it이 가리키는 것은 ③ the word "magnet"('자석'이라는 단어)이다.
① 자철석 ② 목동 ④ 동료 ⑤ 발견

3 자석은 철, 니켈, 코발트 등을 끌어당기거나 밀어낸다고 하였으므로 정답은 ④이다.

4 빈칸 바로 앞 문장에서는 지구의 자기장이 태양 복사열로부터 지구를 보호한다고 하였고, 빈칸이 있는 문장은 '태양 복사열이 없으면, 우리는 태양으로부터 안전하지 않은 수준의 우주 광선을 받게 될 것이다.'가 되어야 적절하다. 따라서 정답은 ② Without(~이 없으면) / receive(받다)이다.
① ~이 있으면 / 붙잡다 ③ ~이 있으면 / 모으다 ④ ~이 없으면 / 차단하다 ⑤ ~이 없으면 / 반사하다

| 직독 직해 |

- '자석'이라는 단어는 이다 / 고대 그리스어 / 적어도 기원전 600년의
- 자기장은 아무런 영향을 주지 않는다 / 물질에는 / 유리나 플라스틱과 같은
- 이 자기장은 보호한다 / 지구를 / 태양 복사열로부터

26 | First to the Pole p. 72

1 ②　　2 ②　　3 ④
4 피어리가 매우 유명했기 때문에

| 본문 해석 |

인간이 우주로 나가는 꿈을 꾸기 전에, 가장 흥미진진한 모험은 북극에 도달하는 경주였다. 로버트 피어리와 프레더릭 쿡은 친구였고 북극 탐험과 관련해 함께 일했다. 하지만 그들의 우정은 분노로 끝을 맺었다.
피어리는 자신의 영예를 쿡과 나누고 싶지 않았다. 그들은 각자 북극 탐험을 시작했다. 피어리는 신문에 자신의 여행을 발표했지만, 쿡은 자신의 계획을 비밀에 부쳤다. 피어리는 8개월 후인 1909년 3월 1일에 승리를 주장했다. 집에 돌아와서 자신보다 일 년 전인 1908년 4월 21일에 쿡 또한 승리를 주장했다는 사실을 알았을 때 그의 행복은 사라지고 말았다!
그들은 서로 거짓말을 한다며 비난했다. 쿡은 자신을 지지해 줄 신문이나 사람이 없었고, 그의 주장은 받아들여지지 않았다. 피어리에게는 자신의 주장을 뒷받침하기 위해 적어 놓은 메모가 많았지만, 누구도 그것들이 사실인지 아닌지 확신할 수 없었다. 피어리는 매우 유명했기 때문에 많은 사람들이 그의 이야기를 믿었다. 불행하게도 두 사람은 진정한 승리를 거두지 못하고 죽었다.

| 문제 해설 |

1 피어리와 쿡의 북극 탐험에 대해 말하고 있으므로 ②가 주제로 가장 적절하다.

2 피어리와 쿡은 북극 탐험과 관련된 일은 함께 했었지만, 탐험은 각자 시작했다. 1909년에 승리를 주장한 사람은 피어리이고, 탐험 이후에 그들은 서로를 비난했다. 쿡은 자신의 탐험 계획을 비밀로 했기 때문에 그의 주장을 지지해 줄 사람이 없었다. 그러므로 일치하는 것은 ②이다.

3 피어리는 자신의 주장을 뒷받침하기 위해 적어 놓은 메모들이 많았지만 어느 누구도 '그것들이' 사실인지 아닌지 확신할 수 없었다고 했으므로 they가 가리키는 것은 ④ many notes(많은 메모들)이다.
① 사람들 ② 친구들 ③ 신문들 ⑤ 쿡과 피어리

4 마지막 문단에서 피어리가 매우 유명했기 때문에 많은 사람들이 그의 이야기를 믿었다고 언급하였다.

| 직독 직해 |

- 가장 흥미진진한 모험은 / 경주였다 / 북극에 도달하는
- 각자는 시작했다 / 자신의 탐험을 / 북극으로의
- 쿡은 가지고 있지 않았다 / 어떤 신문이나 사람들도 / 그를 지지해 줄

27 | Penguins

p. 74

1 ② 2 ④ 3 ⑤ 4 ①

| 본문 해석 |

펭귄은 전 세계 사람들에게 많은 사랑을 받고 있다. 대부분의 펭귄은 크릴새우, 물고기, 오징어, 다른 종류의 바다 생물을 먹는다. 거의 모든 펭귄들은 검고 희다. 이는 포식자로부터 자신을 안전하게 지키는 데 도움이 된다. 검은색은 바다의 밑바닥의 색과 섞이고, 흰색은 바다 윗부분의 색과 어울려서 포식자들이 그들을 볼 수 없게 만든다.

펭귄은 전 세계적으로 스무 종이 있다. 하지만 북극에서는 펭귄을 발견하지 못할 것이다. 실제로 모든 펭귄은 남반구에 서식한다. 펭귄을 항상 춥고 얼음으로 덮인 섬에서 볼 수 있는 것은 아니다. 일부 펭귄들은 심지어 적도 근처에 산다. 많은 펭귄은 얼어붙은 남극 대륙에서 멀리 떨어져서 풀로 덮인 따뜻한 섬에 산다.

펭귄은 모양과 크기도 다양하다. 황제펭귄은 가장 큰 펭귄이다. 황제펭귄의 키는 1미터 이상이고 무게는 거의 75킬로그램에 달한다. 가장 작은 펭귄은 페어리 펭귄이다. 페어리 펭귄의 키는 약 40센티미터이고 무게는 1킬로그램에 불과하다.

| 문제 해설 |

1 두 번째 문단은 펭귄의 서식지에 대해 구체적으로 이야기하고 있으므로 ② where penguins live(펭귄이 사는 곳)가 요지로 가장 적절하다.
① 펭귄이 먹는 것 ③ 펭귄이 멸종 위기에 처한 정도 ④ 많은 다른 종의 펭귄들 ⑤ 펭귄이 바다에서 수영하는 것을 좋아하는 이유

2 빈칸 이후의 문장은 펭귄이 검고 흰 이유가 바다의 색과 어울려서 포식자들이 펭귄을 볼 수 없게 만든다고 설명한다. 따라서 빈칸에는 ④ keep(지키다)이 가장 적절하다.
① 밀다 ② 보다 ③ 싸우다 ⑤ 보여주다

3 '일부 펭귄들은 심지어 적도 근처에 산다.'라는 문장은 펭귄의 서식지에 대한 내용으로 남반구뿐만 아니라 춥고 얼음으로 덮이지 않은 곳에서도 산다는 내용 뒤에 이어져야 한다. 따라서 ⑤ (E)에 들어가는 것이 가장 자연스럽다.

4 황제펭귄의 무게가 거의 75킬로그램에 달한다고 하였지 펭귄의 평균 몸무게가 75킬로그램이라는 언급은 없으므로 사실이 아닌 것은 ①이다.

| 직독 직해 |

- 펭귄들은 / 많은 사랑을 받는다 / 사람들에게 / 전 세계에 있는
- 여러분은 찾을 수 없을 것이다 / 펭귄들을 / 북극에서
- 그것은 / 키가 약 40센티미터이고 / 무게는 겨우 1킬로그램이다

28 | Mobile Schools

p. 76

1 ③ 2 ④ 3 ①
4 배에서 발견할 수 있다.

| 본문 해석 |

가끔 학교에 가지 않아도 되길 바라는가? 가끔 학교가 없었으면 하고 바라는가? 세상의 많은 마을들은 너무 가난해서 학교를 세울 수가 없다. 그래서 대신에 이동 학교가 이러한 마을로 찾아간다. 이동 학교는 때때로 배나 버스 안에 있기도 하고, 때로는 책을 가지고 말이나 다른 동물을 이용해 마을을 방문하는 선생님들을 가리키기도 한다. 이동 학교는 한 학교가 여러 다른 장소에서 아이들을 가르치기 위해 사용되는 것을 의미한다. 이 때문에 이동 학교는 많은 사람들에게 기본 교육을 제공할 수 있다.

방글라데시에서 이동 학교는 백만 명 이상의 어린이들을 교육한다. 이 어린이들은 읽기, 쓰기, 수학을 배우며, 심지어 컴퓨터 교육도 배운다. 컴퓨터 실습실과 컴퓨터 선생님들은 방글라데시의 정글 강을 이동한다. 매주 실습실 배가 도착하면 아이들은 즐겁게 교실로 달려간다. 그들은 전기도 없는 마을에서 컴퓨터 교육을 받는다는 것이 행운이라고 생각한다. 그러므로 다음에 여러분이 학교에 대해 불평할 때, 여러분이 얼마나 운이 좋은지 기억하라.

| 문제 해설 |

1 이 글은 이동 학교가 학교를 세울 수 없는 장소를 방문하여 기본 교육을 제공한다고 이야기하고 있으므로 ③이 주제로 가장 적절하다.

2 educate는 '교육하다'라는 뜻으로 ④ instruct(교육하다, 알려주다)가 의미상 가장 가깝다.
① 감명을 주다 ② 구부리다 ③ 방송하다 ⑤ 보내다

3 방글라데시에서는 이동 학교가 정글 강을 따라 이동한다고 하였으므로 알 수 있는 것은 ① Bangladesh is a country with rivers.(방글라데시는 강이 있는 국가이다.)이다.
② 다른 나라에는 이동 학교가 없다. ③ 방글라데시에서는 컴퓨터 교육이 제일 중요하다. ④ 방글라데시의 모든 학교는 이동 학교이다. ⑤ 이동 학교는 다른 학교보다 과목이 많다.

4 방글라데시에는 매주 컴퓨터 교육을 하는 실습실 배가 있다고 하였으므로 이동 컴퓨터실은 배에 있음을 알 수 있다.

| 직독 직해 |

- 이동 학교들은 제공할 수 있다 / 기본 교육을 / 많은 사람들에게
- 컴퓨터 실습실과 선생님들은 이동한다 / 정글 강을 / 방글라데시에 있는
- 세상의 많은 마을들은 / 너무 가난해서 / 세울 수 없다 / 학교를

Review Test (25~28) p. 78

1 ③ 2 ④ 3 mobile
4 fame 5 frozen 6 ③
7 most → almost
8 am → were (또는 had been)
9 Peary did not want to share his fame with Cook.
10 Penguins come in all shapes and sizes.

| 문제 해설 |

1 discovered는 '발견된'이라는 의미로 ③ found(발견된)가 의미상 가장 가깝다.
[그 동굴 벽화는 1940년 프랑스에서 발견되었다.]
① 도난당한 ② 잃어버린 ④ 창조된 ⑤ 색칠한

2 provides는 '제공하다'라는 의미로 ④ gives(주다)가 의미상 가장 가깝다.
[그 웹 사이트는 재미있는 행사에 대한 정보를 제공한다.]
① 원하다 ② 읽다 ③ 묻다 ⑤ 모으다

[3~5]

| 보기 | 얼어붙은 불평하다 휴대용의 종 명성

3 휴대 전화를 이용해서 우리는 어디서든 사람들과 연락을 취할 수 있다.

4 그 영화 덕분에 그녀는 배우로서 명성을 얻었다.

5 몇몇 사람들이 얼어붙은 호수 위에서 얼음낚시를 하고 있다.

6 ③은 재귀대명사의 강조 용법으로 쓰인 반면, 나머지는 재귀 용법으로 쓰였다.
① 우리 삼촌은 면도를 하다가 베였다.
② 그들은 그들 자신을 변호해야 했다.
③ 너는 스스로 숙제를 해야 한다.
④ 우리 아들은 스스로를 통제해야 한다.
⑤ 그녀는 혼잣말을 하고 있었다.

7 every, all 등의 말 앞에서 '거의'라는 의미로 쓰이는 부사는 almost이다.
[줄리아는 거의 매일 출근한다.]

8 wish는 가정법 과거나 가정법 과거완료를 뜻하는 절을 목적어로 취하는 동사이다. 따라서 were (또는 had been)가 와야 한다.
[내가 뉴욕에 있다면(있었다면) 좋을 텐데.]

Unit 08

29 | Finding Refuge p. 80

1 ② 2 ④ 3 ② 4 ③

| 본문 해석 |

인류 역사를 통틀어, 난민들은 어쩔 수 없는 현실이었다. 여러 무리의 사람들은 때때로 종교적, 정치적, 혹은 인종적 차별에 직면했다. (B) 그래서 그들은 세계의 더 관대한 지역으로 이주했다. (C) 하지만 국가들은 1800년대에 더 명확한 국경을 그었다. (A) 그래서 난민들은 갈 곳을 찾기가 더 힘들어졌다.
1914년 러시아 혁명은 그 나라에 공산주의를 세웠다. 이는 또한 공산주의로부터 도망친 약 150만 명의 난민들을 만들어냈다. 약 백만 명의 아르메니아인들은 박해와 대량 학살 때문에 1915년과 1923년 사이에 터키를 떠나야만 했다.
1949년에 중화 인민 공화국이 수립되었을 때, 2백만 명의 난민들은 대만과 홍콩으로 이주했다. 1947년에 인도와 파키스탄의 분리는 1,800만 명의 사람들에게 이슬람교인 파키스탄과 힌두교인 인도 사이에서 선택하도록 강요했다.
1989년 냉전의 종결은 유럽의 정치적 국경의 변화로 인해 난민들을 만들어냈다. 1992년 발칸 반도의 위기 중 이러한 변화가 절정에 이르렀을 때, 1,800만 명에 이르는 난민들이 있었다. 오늘날 그 수치는 약 1,100만 명이다.

| 문제 해설 |

1 1947년 인도와 파키스탄의 종교적 분리로 인해 난민들이 발생했다는 내용은 있지만 '종교적 통합'으로 난민이 발생했다는 ②는 이 글에서 언급되지 않았다.

2 차별을 받은 사람들은 (B) 더 관대한 지역으로 이주했지만, (C) 국가들이 더 명확히 국경을 그으면서 (A) 난민들은 갈 곳을 찾기가 어려웠다는 흐름이 자연스러우므로 ④가 가장 적절하다.

3 fled는 '달아났다'는 뜻으로 ② escaped(탈출했다)가 의미상 가장 가깝다.
① 증오했다 ③ 날았다 ④ 분열했다 ⑤ 경고했다

4 빈칸이 있는 문장을 보면 1992년에 난민의 수가 1,800만 명에 이르렀다고 하였는데, 뒤 문장에서 오늘날은 그 난민의 수치가 1,100만으로 떨어졌다고 했다. 따라서 빈칸에는 ③ height(절정)이 가장 적절하다.
① 쇠퇴 ② 중단 ④ 실패 ⑤ 선택

| 직독 직해 |

- 인류 역사를 통틀어 / 난민들은 이었다 / 어쩔 수 없는 현실
- 그들은 이주했다 / 더 관대한 지역으로 / 세계의
- 더 힘들었다 / 난민들이 / 찾는 것은 / 갈 장소를

30 | Magical Books p. 82

1 ③ 2 ④ 3 ② 4 ②

| 본문 해석 |

오늘날 현존하는 가장 유명하고 성공한 작가 중의 한 명으로 J. K. 롤링을 들 수 있다. 롤링이 집필을 시작했을 때는 가난해서 생활비 때문에 다른 사람의 도움을 받아야 했다. 그녀가 첫 번째 〈해리 포터〉 책을 썼을 때 그 책을 열두 곳의 출판사에 보냈으나 어느 출판사에서도 출판하려 하지 않았다. 마침내 그녀의 책을 출판하려는 회사가 나타났을 때, 그들은 그녀에게 돈을 많이 벌지 못할 것이라고 말했다.
결국, 한 대형 출판사가 〈해리 포터〉 책이 어린이를 위한 멋진 이야기라고 생각하고 책을 다시 출간하기 위해 롤링에게 거액을 지불했다. 그녀는 마침내 또 다른 〈해리 포터〉 시리즈를 쓸 수 있었으며 생활비를 충당할 수 있었다. 곧 롤링의 책은 매우 인기가 높아졌고 수천 명의 사람들은 책이 판매되기도 전에 책을 예약하기 위해 돈을 지불하기도 했다.
롤링은 부유하기 때문에 다른 사람들을 돕기 위해 많은 돈을 쓰고 있다. 그녀는 "많은 부에는 일정한 책임이 따릅니다."라고 말한다.

| 문제 해설 |

1 〈해리 포터〉를 쓴 작가 J. K. 롤링에 대해 말하고 있으므로 ③ the woman who wrote the *Harry Potter* books(〈해리 포터〉를 쓴 여성작가)가 주제로 가장 적절하다.
① 유명한 〈해리 포터〉 영화 ② 〈해리 포터〉 책을 판매하는 사업 ④ 〈해리 포터〉 영화의 등장인물들 ⑤ 〈해리 포터〉 책이 집필된 방법

2 롤링은 현재 부유하며, 〈해리 포터〉 책 덕분에 상당한 인기를 얻었다. 〈해리 포터〉 책을 처음 집필할 때는 가난했으며, 어느 출판사도 그녀의 책에 관심이 없었다. 일치하는 것은 ④이다.

3 Now that은 '~이기 때문에'라는 의미로 ② Because(~ 때문에)가 의미상 가장 가깝다.
① (비록) ~이긴 하지만 ③ ~할 때까지 ④ ~하는 동안에 ⑤ ~하지 않는다면

4 빈칸 바로 앞 문장에서 롤링은 부유하기 때문에 다른 사람들을 돕기 위해 많은 돈을 쓴다고 하였으므로 부유한 사람이 책임감을 바탕으로 사회에 공헌함을 알 수 있다. 따라서 빈칸에는 ② responsibility(책임감)가 가장 적절하다.
① 슬픔 ③ 싸움 ④ 노여움 ⑤ 미소

| 직독 직해 |

- 그들은 말했다 / 그녀에게 / 그녀가 벌지 못할 거라고 / 많은 돈을
- 그녀는 마침내 쓸 수 있었다 / 또 다른 〈해리 포터〉 시리즈를
- 그녀는 사용한다 / 자신의 많은 돈을 / 다른 사람들을 돕기 위해

31 | Orienteering p. 84

1 ⑤ 2 ④ 3 ② 4 ②

| 본문 해석 |

대부분의 사람들에게 숲에서 길을 잃는 것은 유쾌한 일이 아니지만 오리엔티어링 참가자들에게는 더할 나위 없이 좋다. 오리엔티어스는 오리엔티어링이라고 불리는 스포츠를 하는 사람들이다. 오리엔티어링의 목표는 지도와 나침반을 이용하여 숲을 가로질러 체크 포인트들을 찾는 것이다.
처음에 오리엔티어링은 주로 군사 활동이었으며 군사 훈련의 한 부분이었다. 일반인이 참여하는 오리엔티어링은 스웨덴에서 경쟁적인 스포츠 경기로 시작되었으며, 현재는 전 세계 사람들이 하고 있다.
이 스포츠는 사람들을 숲으로 데리고 가서 나침반과 지도를 준다. 그 후에 오리엔티어링 참가자들은 가장 빠른 길을 찾아 그들의 지도상에 있는 다른 목적지에 도착하기 위해 최대한 빨리 뛰어야 한다.
대부분의 스포츠처럼 오리엔티어링도 항상 변화하고 있다. 사람들은 늘 오리엔티어스로서 새로운 방법들을 고안하고 있다. 이 스포츠를 하는 가장 새로운 방법 중 하나는 자전거를 타고 하는 것이다. 그럼에도 불구하고, 많은 오리엔티어스들은 거의 장비를 하나도 사용하지 않는다. 이 운동의 가장 좋은 것 중의 하나는 고가의 장비가 필요하지 않다는 것이다.

| 문제 해설 |

1 세 번째 문단은 오리엔티어링을 하는 방법에 대해 설명하고 있다. 따라서 ⑤ the method of orienteering(오리엔티어링의 방법)이 주제로 가장 적절하다.
① 오리엔티어링의 분야 ② 오리엔티어링의 기원 ③ 오리엔티어링의 장단점 ④ 오리엔티어링의 장비

2 오리엔티어링이 스웨덴에서 스포츠 경기로 시작되었다고 하였지만 첫 국제 오리엔티어링 대회가 스웨덴에서 개최되었는지는 알 수 없다. 따라서 일치하지 않는 것은 ④이다.

3 inventing은 '발명하는'이라는 뜻으로 ② developing(개발하는)이 의미상 가장 가깝다.
① 추구하는 ③ 삭제하는 ④ 보내는 ⑤ 포장하는

4 빈칸을 전후로 앞 문장은 오리엔티어링의 새로운 방법 중 하나인 자전거를 타고 하는 것을 말하고 있고, 빈칸이 있는 문장은 많은 오리엔티어스들이 장비를 거의 사용하지 않는다고 말하고 있다. 따라서 두 문장의 관계는 양보를 나타내는 ② Still(그래도, 그럼에도 불구하고)이 가장 적절하다.
① 게다가 ③ 결과적으로 ④ 더욱이 ⑤ 예를 들면

| 직독 직해 |

- 대부분의 사람들에게 / 길을 잃는 것은 / 숲에서 / 유쾌하지 않다
- 오리엔티어스는 사람들이다 / 스포츠를 하는 / 오리엔티어링이라고 불리는

• 가장 새로운 방법 중 하나는 / 이 스포츠를 하는 / 자전거를 타고 하는 것이다

32 | Hovering Birds p. 86

1 ①　2 ②　3 ①
4 날개를 빠르게 저으며 윙윙거리는 소리를 내기 때문에

| 본문 해석 |

벌새는 세상에서 가장 특별하고 특이한 새다. 벌새가 그토록 특이한 점은 무엇인가? 아마도 가장 놀라운 사실은 다른 새와는 달리 벌새는 곤충이나 헬리콥터처럼 난다는 것이다. 그들은 날기 위해 앞으로 움직일 필요가 없다. 그들은 힘들이지 않고 위아래로, 옆으로, 앞뒤로 난다. 그들은 심지어 공중에서 멈추거나 떠다닐 수도 있다. 그들이 공중에 떠 있는 것을 보면 움직이지 않고 매달려 있는 것처럼 보이는데, 벌새는 이렇게 할 수 있는 유일한 새이다. 그들은 날개를 일 초에 90번 정도로 빠르게 저으며 윙윙거리는 소리를 내는데, 이로 인해 벌새라는 이름이 붙여졌다.
세상에서 가장 작은 새는 꿀벌 벌새이다. 꿀벌 벌새의 무게는 대략 2그램이고 길이는 5센티미터에 불과하다. 대부분의 벌새처럼 꿀벌 벌새의 주요 식량원은 특정한 꽃의 꿀이다. 그들은 겨울에 이주하고, 그때까지도 꽃이 피어 있는 따뜻한 남부 기후에서 겨울을 보내는 것을 더 좋아한다. 이주를 함으로써 그들은 일 년 내내 음식 공급원을 쫓아다닌다.

| 문제 해설 |

1 빈칸 바로 뒤 문장은 벌새가 다른 새들과는 다른 특징에 대해 설명하고 있다. 따라서 빈칸에는 ① unique(특이한, 독특한)가 들어가며 '벌새가 그토록 특이한 점은 무엇인가?'라는 적절한 질문이 된다.
② 사교적인 ③ 일반적인 ④ 감춰진 ⑤ 아주 작은
2 꿀벌 벌새의 주요 식량원은 특정한 꽃의 꿀이라고 했으므로 일치하지 않는 것은 ②이다.
3 motionless는 '움직이지 않는, 가만히 있는'이라는 뜻으로 ① still(움직이지 않는)이 의미상 가장 가깝다.
② 바쁜 ③ 조용한 ④ 움직일 수 있는 ⑤ 알려지지 않은
4 벌새는 날개를 빠르게 저으며 윙윙거리는 소리(humming sound)를 내기 때문에 벌새라는 이름이 붙여졌다고 하였다.

| 직독 직해 |

• 그들은 필요가 없다 / 앞으로 움직일 / 날기 위해서
• 그것의 주요 식량원은 / 꿀이다 / 특정한 꽃에 있는
• 이주를 함으로써 / 그들은 쫓아다닌다 / 그들의 식량 공급원을 / 일 년 내내

Review Test (29 ~ 32) p. 88

1 ③　2 ②　3 tolerant
4 alive　5 route　6 ③
7 of → for　8 asleep → sleeping
9 One of the most famous and successful writers alive today is J. K. Rowling.
10 The bee hummingbird weighs approximately two grams.

| 문제 해설 |

1 successful은 '성공한'이라는 의미로 ③ failed(실패한)가 반대말이다.
[그녀의 첫 소설은 매우 성공적이었다.]
① 지루한 ② 충격적인 ④ 무서워하는 ⑤ 이용 가능한
2 forwards는 '앞으로'라는 의미로 ② backwards(뒤로)가 반대말이다.
[그녀는 테이블을 앞으로 밀었다.]
① 위로 ③ 아래로 ④ 안으로 ⑤ 밖으로

[3~5]

| 보기 | 살아 있는　목적　길　관대한　출판하다

3 우리 부모님은 서로의 차이에 대해 매우 관대하다.
4 우리는 승객들이 모두 살아 있어서 기쁘다!
5 기차역으로 가는 가장 빠른 길은 무엇인가요?
6 [as+형용사/부사의 원급+as]는 '~만큼 …한'이라는 의미로 ③은 원급 형용사인 difficult 뒤에 as가 있으므로 빈칸에 as가 들어가야 한다. 나머지는 최상급을 나타내는 most가 들어간다.
① 백상아리는 가장 위험한 동물 중 하나이다.
② 내 친구와 가족은 내 인생에서 가장 중요하다.
③ 프랑스어를 배우는 것은 영어를 배우는 것만큼 어렵다.
④ 수학은 모든 과목 중에서 제일 어렵다.
⑤ 이 책은 세계에서 가장 아름다운 곳 중 몇 군데를 소개한다.
7 to부정사의 의미상의 주어를 나타낼 때에는 [for+목적격]을 사용한다.
[나는 그가 첫 열차를 탈 수 있도록 그를 일찍 깨웠다.]
8 asleep은 명사 앞에서 한정하지 않고 서술적으로만 사용된다. 따라서 asleep 대신 sleeping을 써야 한다.
[그는 잠든 아이를 바라보고 있었다.]

Unit 09

33 | Tracks in Antarctica p. 90

1 ②	2 ③	3 ③	4 ⑤

| 본문 해석 |

1911년에 두 그룹이 남극 대륙을 향해 출발했다. 한 그룹은 영국인 로버트 팔콘 스콧이 이끌었다. 다른 그룹은 노르웨이인 로알드 아문센이 이끌었다. 탐험을 하고 나서 한 사람은 남극에 도달한 최초의 사람으로 인정을 받지만, 다른 사람은 죽게 된다.
아문센은 탐험을 하면서 보급 지점을 분명하게 표시해 둔 반면에, 스콧은 눈 속에서는 보이지 않는 자그마한 표시만을 사용했다. 아문센은 그룹을 작게 유지하기 위해 네 명의 대원과 몇 마리의 개만을 데려갔다. 스콧은 대원, 개, 말, 전동 썰매를 가져갔다. 아문센의 팀은 남극 대륙을 가로질러 꾸준히 움직였다. 아문센이 이끄는 팀은 1911년 12월 18일에 남극에 도달했다. 노르웨이인들은 자신들이 도착했다는 사실을 입증하기 위해 남극에 깃발을 꽂았다.
스콧과 다섯 명의 대원은 1912년 1월 17일에 남극에 도착했다. (아문센의 팀이 이미 남극에 도달했다는 것을 알고) 실망한 영국 팀은 집으로 돌아오는 여행을 시작했다. 스콧과 그의 대원들은 충분한 식량과 보급품이 없어서 얼어 죽었다. 아문센은 노르웨이로 돌아와 축하를 받았지만, 스콧은 결코 돌아오지 못했다.

| 문제 해설 |

1 이 글은 1911년 남극 대륙에 도달하기 위해 스콧이 이끈 영국인 그룹과 아문센이 이끈 노르웨이 그룹에 대한 이야기이므로 ②가 주제로 가장 적절하다.

2 아문센은 그룹을 작게 유지하기 위해 네 명의 대원과 몇 마리의 개만 데려갔으므로 말을 데려갔다는 ③은 일치하지 않는다.

3 steadily는 '꾸준히'라는 의미로 ③ continuously(계속해서)가 문맥상 가장 가깝다.
① 빨리 ② 단단히 ④ 유연하게 ⑤ 조용히

4 아문센은 보급 지점을 분명하게 표시하였다고 하였지만, 스콧은 눈 속에서는 보이지 않는 표시만을 사용했다고 했으므로 (A)에는 대조를 나타내는 While(반면에)이 적절하며, 스콧과 그의 팀이 얼어 죽은 이유로 충분한 식량과 보급품이 없었기 때문임을 알 수 있으므로 (B)에는 Without(~없이)이 적절하다. 따라서 정답은 ⑤이다.
① ~임에도 불구하고 / ~없이 ② ~임에도 불구하고 / ~이 있는 ③ 반면에 / ~처럼 ④ 반면에 / ~이 있는

| 직독 직해 |

- 스콧은 오직 사용했다 / 작은 표시를 / 볼 수 없는 / 눈 속에서
- 그는 데리고 갔다 / 4명의 사람들과 몇 마리의 개를 / 그의 그룹을 작게 유지하기 위해
- 실망한 영국 팀은 시작했다 / 집으로 여행을

34 | Finding Your Way p. 92

1 ④	2 ④	3 ③	4 ④

| 본문 해석 |

선박의 길을 안내하기 위한 나침반의 사용은 중국인들에 의해 최초로 기록되었다. 그들은 자침을 물이 담긴 그릇에 띄우거나 실에 매달았다. 나침반이 지중해에 등장했을 때, 그것은 선박들이 일 년 내내 항해가 가능하도록 했다. 나침반 이전에, 선박들은 랜드마크나 별들을 이용해 기상 조건이 좋을 때만 항해를 할 수 있었다. 선박 나침반들로 세계의 교역 총량이 증가했다. 이것이 대항해 시대를 가능하게 했다.
나침반 바늘은 자기 북극을 가리킨다. 이것은 실제 북극과 다르다. 현재 자기 북극은 실제 북극의 약 1,000마일 정도 남쪽인 캐나다에 있다. 지난 세기에 그것은 시베리아를 향해 서쪽으로 600마일 이상 이동했다. 그리고 지구의 자기장 방향은 모든 장소에서 같지 않다. 그래서 나침반은 장소에 따라 다른 방향을 가리킬 수 있다. 크리스토퍼 콜럼버스는 대서양을 횡단할 때 이러한 차이를 알아차렸다.

| 문제 해설 |

1 나침반의 사용으로 일 년 내내 항해가 가능하게 되었고, 세계 교역량이 증가하여 대항해 시대를 가능하게 했다는 내용이므로 가장 적절한 것은 ④이다.

2 자기 북극은 현재 실제 북극의 약 1,000마일 정도 남쪽에 있는 캐나다에 있다고 했으므로 일치하지 않는 것은 ④이다.

3 suspended는 '뜨게 했다'를 뜻하므로 ③ rested(놓았다)가 의미상 가장 가깝다.
① 수집했다 ② 고정시켰다 ④ 생산했다 ⑤ 떨어뜨렸다

4 '그리고 지구의 자기장 방향은 모든 장소에서 같지 않다.'라는 문장은 나침반이 장소에 따라 다른 방향을 가리킨다는 내용의 원인이므로 ④ (D)에 오는 것이 가장 자연스럽다.

| 직독 직해 |

- 나침반의 사용은 / 최초로 기록되었다 / 중국인들에 의해
- 나침반 바늘은 가리킨다 / 자기 북극을
- 나침반은 가리킬 수 있다 / 다른 방향을 / 장소에 따라

35 | The Great Wall p. 94

1 ③　2 ④　3 ②
4 북쪽의 침입으로부터 제국을 보호하기 위해

| 본문 해석 |

세계에서 가장 위대한 불가사의 중 하나인 중국의 만리장성은 1987년에 유네스코에 의해 세계 문화유산으로 등재되었다. 그것은 인간이 만든 세계 최장의 건축물로, 중국의 동부에서 서부까지 대략 8,850킬로미터(5,500마일)에 걸쳐 뻗어 있다.
만리장성은 수천 년에 걸쳐 지어졌다. 중국 최초의 황제인 진시황은 북쪽의 침입으로부터 제국을 보호하기 위해 만리장성을 쌓으라고 명령했다. 하지만, 오늘날에는 (당시에 지어진 만리장성이) 거의 남아 있지 않다.
오늘날 우리가 보는 만리장성은 대부분 명 왕조(1368~1644) 시대에 지어졌다. 수백만 명에 이르는 사람들이 만리장성을 쌓기 위해 일했고, 그들은 세 집단, 즉 군인, 평민, 범죄자로 나뉘었다. 그것을 쌓는 동안 고된 노동과 열악한 상황으로 많은 사람이 목숨을 잃었다.
만리장성은 2천 년 이상 되었다. 만리장성의 많은 부분이 심각하게 훼손되어 사라지고 있다. 하지만, 만리장성은 여전히 세계에서 가장 매력적인 건축물 중 하나이고 매일 대략 1만 명의 사람들이 이곳을 방문한다.

| 문제 해설 |

1 만리장성의 현재와 과거에 대해 이야기하고 있으므로 ③이 주제로 가장 적절하다.
2 마지막 문단에서 만리장성은 매일 대략 1만 명의 사람들이 방문한다고 하였으므로 일치하지 않는 것은 ④이다.
3 빈칸의 앞뒤를 살펴보면 만리장성의 많은 부분이 심각하게 훼손되어 사라지고 있지만, 여전히 세계에서 가장 매력적인 건축물 중 하나라고 말하는 것으로 보아 빈칸에는 역접을 나타내는 ② However(하지만)가 가장 적절하다.
① 대신에 ③ 그러므로 ④ 결과적으로 ⑤ 게다가
4 만리장성은 중국 최초의 황제인 진시황이 북쪽의 침입으로부터 제국을 보호하기 위해 건설을 명령하였다.

| 직독 직해 |

- 만리장성은 / 지어졌다 / 수천 년에 걸쳐
- 그것은 / 대부분 지어졌다 / 명 왕조 시대에
- 많은 사람들은 죽었다 / 고된 노동 때문에 / 그리고 힘든 상황으로

36 | Yohannes Gebregeorgis p. 96

1 ⑤　2 ②　3 ④　4 ⑤

| 본문 해석 |

요하네스 게브레게오르지스는 책이 없는 삶에서 에티오피아의 아이들을 구해 주었기 때문에 영웅으로 여겨진다. 그는 이 아프리카 나라의 아이들에게 수천 권의 책을 가져다주었다. 요하네스는 에티오피아의 시골에서 태어났고, 1981년에 미국으로 갔다. 문맹인 가축 상인의 아들이었던 그는 독서와 교육의 가치를 알았다. 그는 아이들을 위한 사서가 되고 싶었기 때문에 도서관학으로 대학 학위를 획득했다. 1985년까지 그는 샌프란시스코 어린이 도서관에서 일했다. 아동 사서로 일한 이 시기에 요하네스는 조국의 아이들에게 없는 것이 무엇인지 깨달았다.
그는 책과 조국, 이 두 가지를 열정을 가지고 진정으로 사랑했다. 그는 자신의 조국을 위해 무언가 좋은 일을 하고 싶어서 2002년에 에티오피아로 돌아와 수도인 아디스아바바에 도서관을 열었다. 숄라 어린이 도서관은 요하네스 집의 1층에서 시작되었다. 곧 수백 명에 이르는 어린 독서가들에게 그늘을 제공하기 위해 커다란 텐트 두 개가 추가되었다. 그가 결성한 기관인 에티오피아 리즈는 현재 전국에 걸쳐 독서 센터를 추가적으로 설립하고 있다.

| 문제 해설 |

1 이 글은 자신의 조국인 에티오피아에 어린이 도서관을 설립한 요하네스 게브레게오르지스에 대한 이야기이므로 ⑤ The Founder of a Children's Library in Ethiopia(에티오피아의 어린이 도서관 설립자)가 제목으로 가장 적절하다.
① 에티오피아의 문맹 ② 대학 교육의 가치 ③ 독서의 중요성 ④ 아프리카의 새로운 독서 운동
2 요하네스는 1981년에 미국으로 갔고, 사서가 되고 싶어 도서관학으로 대학 학위를 땄으며 1985년까지 샌프란시스코 어린이 도서관에서 일했다고 하였다. 따라서 일치하는 것은 ②이다.
3 obtained는 '(학위를) 취득했다'라는 뜻으로 ④ earned(취득했다)가 의미상 가장 가깝다.
① 잃었다 ② 훔쳤다 ③ 서명했다 ⑤ 예약했다
4 빈칸의 앞뒤를 살펴보면 요하네스는 책과 조국을 진정으로 사랑했고, 에티오피아에 도서관을 열었다고 하였으므로 빈칸에는 ⑤ do something good for his country(조국을 위해 무언가 좋은 일을 하다)가 가장 적절하다.
① 교수가 되다 ② 영어로 책을 쓰다 ③ 돈을 많이 벌다 ④ 아버지의 사업에서 성공하다

| 직독 직해 |

- 그는 가져다주었다 / 수천 권의 책을 / 아이들에게 / 이 나라의
- 요하네스는 태어났다 / 에티오피아에서 / 그리고 미국으로 갔다
- 그 도서관은 시작되었다 / 1층에서 / 요하네스 집의

Review Test (33~36) p. 98

1 ④	2 ③
3 disappointed	4 possible
5 considered	6 ⑤
7 is → are	8 for → during

9 A compass can point in different directions according to location.

10 Yohannes Gebregeorgis is considered a hero.

| 문제 해설 |

1 tough는 '힘든'이라는 의미로 ④ difficult(힘든)가 의미상 가장 가깝다.
[그는 한국에 살았을 때 힘든 시간을 보냈다.]
① 재미있는 ② 슬픈 ③ 긴 ⑤ 쉬운

2 nations는 '국가들'이라는 의미로 ③ countries(나라들)가 의미상 가장 가깝다.
[부탄은 세계에서 가장 가난한 국가 중 하나이다.]
① 대륙들 ② 도시들 ④ 지방들 ⑤ 정부들

[3~5]

| 보기 | 가능한 문맹의 여겨진 인공의 실망한

3 그녀는 시험에 떨어져서 실망했다.
4 과거로 여행하는 것은 전혀 가능하지 않다.
5 그 육상 선수는 세계에서 가장 빠른 사람으로 여겨진다.
6 ⑤는 수여동사 make에 대한 직접목적어로 쓰였지만, 나머지는 5형식동사의 목적보어로 쓰였다.
① 나는 그에게 자전거를 고치게 했다.
② 그녀의 어머니는 그녀를 음악가로 만들었다.
③ 이 책은 그를 울게 만들었다.
④ 그 영화는 나를 슬프게 했다.
⑤ 그는 나에게 쿠키를 만들어 주었다.
7 [the+국가를 나타내는 형용사]는 '~국가 사람들'이라는 의미로 복수 취급한다. 따라서 복수 동사 are가 와야 한다.
[프랑스인들은 자신들의 문화와 언어를 매우 자랑스러워 한다.]
8 '~동안'의 의미를 가지는 대표적인 전치사로 for와 during이 있는데, for는 숫자 표현과 함께 사용되지만, during은 특정 기간과 함께 사용된다. 따라서 for가 아니라 during이 와야 한다.
[내 휴대전화가 수업 시간 동안에 시끄럽게 울렸다.]

Unit 10

37 | Being Over-sensitive p. 100

1 ② 2 ④ 3 ④ 4 ②

| 본문 해석 |

우리 몸은 선천적으로 해로운 박테리아나 바이러스로부터 우리를 보호하는 항체를 가지고 있다. 그러나 알레르기는 환경에 해가 없는 물질에 대한 특이한 반응이다. 그러한 물질을 알레르겐이라고 부른다. 알레르기 반응은 알레르겐을 들이마시거나 삼키거나, 또는 피부에 닿았을 때 나타난다.
알레르겐의 예로 꽃가루, 먼지, 곰팡이, 곤충의 침, 동물의 비듬, 의약품, 또는 음식이 있다. 몇 가지 흔한 식품 알레르겐은 우유, 달걀, 땅콩, 생선, 조개류, 견과류, 밀, 그리고 간장이다. 증상에는 눈이 가렵거나 눈물, 재채기, 코가 가렵거나 콧물, 발진, 그리고 피곤하거나 아픈 것이 포함된다. 식품 알레르기는 위경련, 구토, 혹은 설사를 일으킬 수 있다.
알레르기 반응은 다소 불편함을 느끼게 하거나 의학적 치료가 필요할 만큼 아프게 만들 수 있다. (C) 다양한 화학 물질들이 알레르기 반응 동안에 인체에 의해 배출된다. (A) 그 주된 하나는 히스타민이라고 불리는 것으로 이것은 더 많은 문제를 일으키기도 한다. (B) 예를 들어, 이것은 다시 숨을 쉬려면 약물이 필요한 천식 발작을 일으킬 수 있다. 그러므로 사람들은 알레르기 반응을 줄이기 위해 항히스타민제를 복용한다.

| 문제 해설 |

1 알레르기 반응은 알레르겐을 들이마시거나 삼키거나 또는 피부에 닿았을 때 나타난다고 하였으므로 ②가 일치하는 내용이다.
2 빈칸이 있는 문장은 알레르겐으로 인한 알레르기 증상에 대한 내용이므로 빈칸은 ④ Symptoms(증상)가 가장 적절하다.
① 연쇄 ② 허드렛일 ③ 규칙 ⑤ 영역
3 알레르기 반응에 대한 내용 다음에 (C) 다양한 화학물질들이 알레르기 반응 동안에 인체에서 배출된다는 내용이 이어지고, (A) 그 중 주요 화학물질인 히스타민을 소개한 후, (B) 히스타민에 대한 설명이 오면 글의 흐름상 가장 자연스러우므로 ④가 정답이다.
4 reduce는 '줄이다'라는 뜻으로 ② lessen(줄이다, 감소하다)이 의미상 가장 가깝다.
① 끓이다 ③ 발생시키다 ④ 확인하다 ⑤ 완료하다

| 직독 직해 |

- 알레르기는 이다 / 특이한 반응 / 해가 없는 물질에 대한
- 다양한 화학 물질은 / 배출된다 / 인체에서
- 사람들은 복용한다 / 항히스타민제를 / 알레르기 반응을 줄이기 위해

38 | Flying on a Skateboard p. 102

1 ③ 2 ④ 3 ① 4 ⑤

| 본문 해석 |

보드에 4개의 작은 바퀴를 결합하면 이는 스케이트보드라고 불린다. 스케이트보딩은 터득하기 어려운 스포츠이다. 그러나 몇 년이 지나면 멋진 묘기를 부리기 시작할 수 있다. 중국의 만리장성을 뛰어넘는 데 필요한 기술을 습득하려면 시간이 얼마나 걸릴까? 대니 웨이는 20년이 걸렸다.
대니 웨이는 미국인 프로 스케이트보더로 많은 세계 기록을 경신한 것으로 유명하다. 그가 부리는 몇몇 묘기는 직접 보아야 믿을 수 있을 정도이다. 그는 1997년에 헬리콥터에서 뛰어내려 자신의 스케이트보드 위로 무사히 착지한 최초이자 유일한 스케이트보더가 되었다.
또한, 스케이트보드로 최고 공중 점프(8미터)와 최장 점프(25미터)의 세계 기록을 보유하고 있다. 그러나 그가 정말 유명해진 것은 2005년에 만리장성을 뛰어넘고 나서였다. 이는 그의 가장 위험한 묘기였다. 대니는 첫 번째 시도에서 발목이 부러졌지만, 통증을 참고 스케이트보드에 올라 목표를 달성했다.

| 문제 해설 |

1 이 글은 프로 스케이트보더로 유명한 데니 웨이가 보유한 세계 기록들을 소개하고 있다. 따라서 ③이 주제로 가장 적절하다.
2 빈칸의 앞뒤를 살펴보면 스케이트보딩은 어려운 스포츠이며 몇 년이 지나야 묘기를 부릴 수 있다고 하였으므로 빈칸에는 ④ master(숙달하다)가 가장 적절하다.
① ~을 쥐고 흔들다 ② 통치하다 ③패배시키다 ⑤ 발견하다
3 글쓴이는 데니 웨이의 스케이트보드 묘기는 직접 보아야 믿을 수 있다고 하였고, 만리장성을 뛰어넘는 묘기는 정말 위험한 묘기로 시도 중에 부상도 있었지만 목표를 달성했다고 이야기하고 있다. 따라서 글쓴이는 데니 웨이에 대해 ① impressed(인상적인)한 태도를 보인다.
② 무관심한 ③ 지루한 ④ 속상한 ⑤ 조심스러운
4 대니 웨이가 만리장성을 뛰어 넘은 이유에 관해서는 언급되지 않았으므로 일치하지 않는 것은 ⑤이다.

| 직독 직해 |

- 몇 년이 지나면 / 당신은 시작할 수 있다 / 멋진 묘기를 부리는 것을
- 몇몇 것들은 / 그가 하는 / 보아야 한다 / 믿게 되려면
- 그는 되었다 / 최초의 스케이트보더가 / 헬리콥터에서 뛰어 내린

39 | Angkor Wat p. 104

1 ④ 2 ① 3 ④
4 국민과 왕국을 보호해 달라고 신에게 경배하고 기도했다.

| 본문 해석 |

앙코르 와트는 캄보디아의 씨엠립 마을 근처에 있는 사원 단지이다. 고대 도시인 앙코르는 500년 넘게 크메르 제국의 수도였고, 그 왕국은 한때 인도차이나 반도의 대부분을 통치했다.
앙코르 와트는 1113년부터 1150년까지 통치했던 국왕 수리야 바르만 2세에 의해 12세기 초에 세워졌다. 이 경이로운 건축물을 짓는 데 약 30년이 걸렸다. 크메르 제국의 왕들은 앙코르 와트에서 신에게 경배하고 국민과 왕국을 보호해 달라고 기도했다.
크메르 제국이 이웃 나라의 군대에 점령당한 이후로 앙코르 와트는 1860년에 한 프랑스 탐험가에 의해 발견될 때까지 잊혀졌다. 이것이 발견된 이후, 많은 사람들이 사원에 관심을 가지게 되었다. 그것들 중 다수가 전 세계에서 찾아온 팀들에 의해 복원되고 있다.
앙코르 와트는 1992년에 세계 문화유산으로 등재되었다. 오늘날에는 주요 관광지가 되어 매년 수천 명에 이르는 관광객이 사원으로 모여든다. 앙코르 와트는 오늘날의 캄보디아의 상징이다.

| 문제 해설 |

1 캄보디아에 있는 사원인 앙코르 와트의 역사에 대해 말하고 있으므로 ④ the historical background of Angkor Wat(앙코르 와트의 역사적 배경)가 주제로 가장 적절하다.
① 캄보디아의 수도인 앙코르 ② 캄보디아 종교의 기원 ③ 고대 도시인 앙코르의 발견 ⑤ 캄보디아와 이웃 나라와의 관계
2 앙코르 와트는 1113년부터 1150년까지 12세기 초에 지어졌으므로 1200년대에 지어졌다는 ①이 일치하지 않는 내용이다.
3 밑줄이 있는 문장을 살펴보면, 그것들 중 다수가 전 세계에서 찾아온 팀들에 의해 복원되고 있다고 하였으므로 them은 바로 앞 문장에 나온 ④ temples(사원들)이다.
① 왕들 ② 팀들 ③ 군대들 ⑤ 탐험가들
4 두 번째 문단의 마지막 문장을 보면 크메르 제국의 왕들은 국민과 왕국을 보호해 달라고 신에게 경배하고 기도했다.

| 직독 직해 |

- 그 왕국은 / 한때 / 통치했다 / 인도차이나 반도의 대부분을
- (시간이) 걸렸다 / 약 30년이 / 그 경이로운 건축물을 짓는 데
- 앙코르 와트는 등재되었다 / 세계 문화유산으로 / 1992년에

40 | The Aborigines of Australia p. 106

1 ④	2 ②	3 ④	4 culture

| 본문 해석 |

백인이 호주에 오기 전에, 호주 대륙에는 애버리지니라 불리는 토착민이 있었다. 고고학자들은 그들이 4만 년도 더 전에 호주에 왔다고 말한다. 그들은 호주에 도착한 후에 전 대륙으로 퍼졌다. 호주가 세계의 나머지 지역으로부터 고립되어 있어서 애버리지니들은 외부 그룹과 거의 접촉이 없었다. 애버리지니의 인구는 유럽인이 처음으로 호주에 왔던 그 당시에 약 75만 명이었다.

1800년대에 영국 사람들이 대륙을 점령하면서 고대 애버리지니 문화를 파괴하기 시작했다. 새로 온 사람들은 자신들의 문화가 애버리지니의 그것보다 우월하다고 생각했다. 그들은 애버리지니의 신념이나 관습을 이해하려고 노력하지 않았다. 1900년대에 이르자 호주 토착민의 인구는 약 9만 3천 명으로 감소했다.

애버리지니들은 자신들의 문화를 포기하지 않고 전통적인 생활 방식을 지키기 위해 새로 온 사람들과 싸웠다. 호주 정부는 과거에 애버리지니를 대우했던 방식에 대해 사과했지만, 이러한 사과가 이루어진 것은 불과 몇 년 전이었다. 다수의 애버리지니는 여전히 차별을 경험하고 있다.

| 문제 해설 |

1 이 글은 호주 토착민인 애버리지니들의 과거부터 현재까지의 역사를 알려주고 있다. 따라서 ④가 목적으로 가장 적절하다.

2 두 번째 문단에서는 영국인들에 의해 애버리지니 문화가 파괴되었다고 말하고 있으므로 ②가 가장 적절하다.

3 애버리지니들이 고립되어 있었기 때문에 외부 그룹과 거의 접촉이 없었다는 문장으로 빈칸에는 ④ isolated(고립된)가 가장 적절하다.
① 넓은 ② 가까운 ③ 유명한 ⑤ 붐비는

4 that이 있는 문장은 새로 온 사람들이 자신들의 문화가 애버리지니의 문화보다 우월하다고 생각했다는 내용으로 유추할 수 있으므로 that은 culture(문화)를 나타낸다.

| 직독 직해 |

- 있었다 / 토착민들이 / 애버리지니라 불리는 / 그 대륙에
- 그들은 도착한 후에 / (그들은) 퍼졌다 / 전 대륙으로
- 그들은 싸웠다 / 새로 온 사람들과 / 자신들의 전통적인 방식을 지키기 위해

Review Test (37 ~ 40) p. 108

1 ② 2 ⑤
3 harmless 4 ankle
5 superior 6 ②
7 a such smart child → such a smart child
8 with → by
9 It took about 30 years to build the awesome structures.
10 They did not attempt to understand the Aboriginal beliefs or customs.

| 문제 해설 |

1 ancient는 '고대의'라는 뜻으로 ② modern(현대의)이 반대말이 된다.
[민주주의를 처음 만든 것은 고대 그리스인들이었다.]
① 발전된 ③ 오래된 ④ 강한 ⑤ 똑똑한

2 major는 '중요한'이라는 뜻으로 ⑤ minor(사소한)가 반대말이 된다.
[톰은 그 행사에서 중요한 역할을 했다.]
① 큰 ② 중요한 ③ 많은 ④ 꼭 끼는

[3~5]

| 보기 | 발목 해롭지 않은 삼키다 우수한 놀라운

3 코뿔소는 무서워 보이지만 사람에게 해롭지 않다.

4 나는 발목이 삐어서 뛸 수 없다.

5 새 컴퓨터 모델은 구 모델에 비해서 우수하다.

6 ②의 It은 강조구문을 이끄는 반면, 나머지 It은 모두 가주어로 쓰였다.
① 수영을 배우는 것은 필요하다.
② 내가 파티에 초대했던 사람은 수잔이다.
③ 그곳에 제시간에 도착하는 것은 매우 중요하다.
④ 테니스를 치는 것은 재미있다.
⑤ 하루에 20개의 단어를 외우는 것은 쉽지 않다.

7 such는 부정관사 a(n) 앞에 놓여야 한다.
[나는 저렇게 똑똑한 아이를 본 적이 없다.]

8 수동태에서 행위자를 나타낼 때에는 전치사 by를 사용한다.
[그의 노래는 많은 사람들에게 널리 사랑받는다.]

Workbook answers

Unit 01

01 Hungry World

A

1	방법, 방식	7	shortage
2	존재하는	8	invisible
3	생산, 산출	9	famine
4	끊임없이, 변함없이	10	store
5	상태, 상황	11	attention
6	증가시키다, 늘리다	12	available

B

1 We will go to the museum by bus.
2 Mark brought a magazine to read.
3 My brother needs to study hard for the exam.

C

| 보기 | 존재하는 퇴치하다 충분한 기아

Hunger does not get as much attention as famine. But millions are constantly hungry and don't have enough food. Growing more food and storing the food can help fight hunger.

02 Singapore Night Safari

A

1	야생	7	week
2	활기, 에너지	8	regret
3	~을 찾다	9	on foot
4	신 나는, 흥미진진한	10	amazing
5	사냥하다	11	interesting
6	장소	12	get to

B

1 You can play the piano or sing a song.
2 He heard someone call his name.
3 Rick tried to finish his project yesterday.

C

| 보기 | 사냥하다 일어나다 걷다 에너지

The Singapore Zoo has a night safari showing animals with lots of energy. The animals usually sleep in the day but hunt and play at night. You can walk in the safari or take a special train.

03 Fruitarians

A

1	엄격한, 엄한	7	reason
2	~의 뒤를 잇다, 따르다	8	in addition to
3	여분의	9	temporary
4	국가	10	religious
5	여러 가지의	11	stick to
6	독립한	12	burn

B

1 An elephant is much heavier than a horse.
2 We canceled our plan because of bad weather.
3 I saved money in order to buy a new computer.

C

| 보기 | 영구히 종교적인 유명한 독립한

A fruitarian is someone who only eats fruits for religious or health reasons. Some famous examples are Mahatma Gandhi and Steve Jobs. But many fruitarians don't stick to eating only fruits forever.

04 A Warm Spice

A

1	전통적인	7	mild
2	향신료	8	smell
3	독감	9	flavor
4	~으로 보다, 간주하다	10	quality
5	흙	11	inner
6	~이 들어 있다, 포함하다	12	relieve

B

1 He bought me a cute doll last week.
2 Brian has taught English for three years.
3 It is the most expensive chair in this store.

C

| 보기 | 더했다 햇빛 ~이 들어 있었다 맛

Cinnamon comes from the bark of a tree and adds flavor to foods. It can be drunk as a tea or added to coffee or hot chocolate. Sunlight makes the bark roll up into the cinnamon sticks we buy.

Unit 02

05 Too Sweet

A

1 언급하다, 이야기하다
2 맛, 풍미
3 포함하다, 함유하다
4 포장하다
5 식사, 음식
6 제품, 생산품
7 recommend
8 claim
9 modern
10 fat
11 nutritional
12 manufacturer

B

1 Jean was having a good time at that time.
2 What does it cost per hour?
3 We started having[to have] dinner together.

C

| 보기 | 추천된 맛 포함된 천연의

Sugar has been added to foods for better taste. But nutritional labels only mention the natural sugar and not added sugar. One soda drink already has more added sugar than is recommended.

06 The Great Tunguska Event

A

1 ~의 원인이 되다
2 동의하다
3 행성
4 충돌하다
5 땅, 지면
6 충돌, 충격
7 tiny
8 pass through
9 theory
10 noise
11 settle down
12 comet

B

1 I was playing basketball with Mike.
2 The room was cleaned by my brother yesterday.
3 She needs something to drink.

C

| 보기 | 소리 일어났다 운석 이론

The Great Tunguska Event happened in a forest in Russia in 1908. There was a loud noise, the ground shook, and trees had fallen down. People think it was meteorite, a spaceship, or a tiny black hole.

07 Seeing Rainbows

A

1 분리하다, 떼어놓다
2 사실, 실제
3 순서, 차례
4 구부리다, 굽히다
5 달의
6 각, 각도
7 circle
8 reverse
9 refract
10 opposite
11 demonstrate
12 reflect

B

1 Alice can speak Chinese and English.
2 This book is more interesting than that one.
3 The church is visited by a lot of people.

C

| 보기 | 증명하다 ~의 뒤에 구부렸다 (정)반대의

We see rainbows when the sun is behind us and in front are water droplets. The colors of sunlight are bent by the droplets at different angles. A second rainbow can sometimes be seen with the colors in reverse order.

08 Choosing Your Path

A

1 남자, 남성
2 과도기
3 재능
4 결정하다, 결심하다
5 독
6 보통이 아닌, 드문
7 tend to
8 segregate
9 experience
10 mainstream
11 fascinating
12 opportunity

B

1 What is the smallest animal in the world?
2 People tend to wake up late on weekends.
3 Making[To make] new friends is exciting.

C

| 보기 | 재능 웃다 주류 분리하다

People who like adventure or have special talents tend to have unusual jobs. Some get the poison from snakes or separate male and female chicks. Others work as therapists who help patients laugh.

Unit 03

09 Rock Climbing

A

1 매달리다
2 깨닫다, 알게 되다
3 유지하다
4 갈라진 틈, 균열
5 들러붙게 하다, 붙이다
6 위치, 장소
7 muscle
8 specialized
9 proper
10 loose
11 straight
12 swing

B

1 She needed some water to drink.
2 We should follow school rules.
3 He told me not to fight with her.

C

| 보기 | 발들 팔들 에너지 적절한

The proper way to do rock climbing is to use your leg muscle. You can save energy by keeping your arms straight. And move your feet before moving your body.

10 Dining with Dogs

A

1 눈이 먼
2 다양한
3 신체의
4 충성스러운
5 추측하다
6 개
7 companion
8 decade
9 disability
10 fill out
11 attach to
12 impaired

B

1 He rewarded Jane with a gift.
2 There is a great house on the hill.
3 She has learned Japanese for a year.

C

| 보기 | 보상하다 친구 웨이터들 메뉴

One restaurant uses dogs as waiters instead of humans. The dogs pull a cart containing the menu or the food. Customers can reward their canine waiters with snacks.

11 Wedding Traditions

A

1 일생
2 용어
3 전통
4 매듭
5 ~을 쌓아 올리다, 쌓다
6 끈, 노끈
7 ceremony
8 ancient
9 origin
10 symbolize
11 expression
12 union

B

1 James may be in the kitchen.
2 This word comes from Spanish.
3 He looked happy all day.

C

| 보기 | 손들 원래 층들 전통

The expression "tie the knot" came from actually tying the hands together. "Honeymoon" was originally a month of drinking wine made from honey. Wedding cakes have layers because of a game of stacking cakes.

12 The Mary Celeste

A

1 짐, 화물
2 선원
3 ~한 채로 남아 있다
4 발견하다
5 정확한, 옳은
6 수색하다
7 captain
8 explosion
9 pirate
10 leak
11 abandon
12 gear

B

1 The letter was written by Ruth.
2 She asked me to return her book to her.
3 Health is the most important thing in the world.

C

| 보기 | 선원 새다 버렸다 선원들

The Mary Celeste was found in 1872 without any sailors. The ship still had clothes, food, and water. One possible explanation is that the crew smelled alcohol and abandoned ship.

Unit 04

13 Warrior Princess

A

1 끔찍한, 심한
2 오염
3 치명적인
4 보호하다
5 식물
6 추락하다, 충돌하다
7 destroy
8 toxic
9 survivor
10 passenger
11 communicate
12 valley

B

1 You must clean your room tonight.
2 We should protect ourselves from crime.
3 The building is between the post office and the museum.

C

| 보기 | 방어하다 충돌하다 파괴된 오염된

The story of Nausicaa takes place after the Earth was destroyed by war. Most of the world is polluted and there are dangerous animals. Princess Nausicaa also has to defend her kingdom from other kingdoms.

14 Noodling

A

1 ~을 밖으로 끄집어내다
2 (아무것도 안 덮인) 맨
3 규모가 큰, 거대한
4 물다
5 나무
6 창
7 jaw
8 southern
9 participate in
10 put in
11 imagine
12 fishing pole

B

1 John put a ball in the box.
2 She likes spending[to spend] time with her friends.
3 Are you looking for a beautiful dress?

C

| 보기 | 넣고 있는 살다 물다 맨

Noodlers catch catfish by putting their arms in catfish holes. The catfish bite the fingers and the noodler pulls the fish out. Sometimes other animals like beavers or snapping turtles live in the catfish holes.

15 Keeping It Cold

A

1 산업
2 정기적으로
3 버리다
4 발명
5 작동하다, 움직이다
6 지하실
7 inside
8 unit
9 frozen
10 revolutionize
11 separate
12 catch on

B

1 The bread is covered with sugar.
2 Sam became a famous soccer player.
3 Paris has many places to visit.

C

| 보기 | 배달된 널리 퍼진 작동된 인기 있는

People in the 1800s used ice boxes and had blocks of ice delivered. Early modern refrigerators didn't catch on because ice boxes were so popular. Refrigerators became widespread in the 1940s.

16 Poisonous Frogs

A

1 생존하다
2 낮, 주간
3 화살
4 생산하다
5 화학 물질
6 비밀
7 different
8 active
9 threaten
10 predator
11 as soon as
12 lose weight

B

1 Rachael went to the park to meet her friends.
2 Steve is the smartest student in my class.
3 She bought a present for her sister.

C

| 보기 | 위협하다 사냥하다 보호하다 약

Poison dart frogs produce poison and use it to protect themselves from predators. Some people use the frog's poison when they hunt other animals. Other people use it to make medicine.

Unit 05

17 Farming Our Fish

A

1 인구
2 해결책
3 사육하다, 재배하다
4 한계
5 병, 질병
6 ~에 압력을 가하다
7 dump
8 increase
9 compared to
10 half
11 harmful
12 die out

B

1 Mr. Smith was disappointed with his son.
2 He has lived in Canada since last year.
3 My brother wants to buy a new car.

C

| 보기 | 제한하다 바다 양식된 야생 생물

The world is eating more fish than ever before. And the oceans have only 10% of the fish they used to have. So countries limit how much fish is caught and half the world's fish is farmed.

18 Hearing Music in Color?

A

1 음표
2 흔한, 공통의
3 ~하는 동안에
4 같은, 동일한
5 한 조각의
6 큰, 시끄러운
7 find
8 quiet
9 turn to
10 experiment
11 keep a record
12 bright

B

1 Her letter made a lot of people cry.
2 It's getting darker and darker outside.
3 Don't speak in a loud voice.

C

| 보기 | 금 보다 조용한 같은

Listening to music may cause you to see colors. These colors could be the same for different people. The sounds of a harp might make you see the color gold.

19 Warmer Winters

A

1 의미하다
2 손상시키다
3 여분의
4 작물, 수확물
5 녹다, 녹이다
6 강수량
7 electricity
8 flood
9 possible
10 average
11 artificial
12 temperature

B

1 I will try hard and win the game.
2 Wilson may not come to my house.
3 He must do his homework without any help.

C

| 보기 | 오른 인공의 보다 적은 생산하다

The weather in the American Northeast has risen by 2 degrees in the last century. This can make animals produce less milk and fewer babies. It also means that ski resorts can make less money.

20 An Underground City

A

1 달아나다, 탈출하다
2 보호소
3 표면, 겉
4 지하의, 지하에 있는
5 정교한, 정성을 들인
6 마음에 들다, 흥미를 끌다
7 curious
8 naturally
9 entire
10 mistreatment
11 in fact
12 government

B

1 Reading books is my hobby.
2 She called Ben to ask his opinion.
3 I am so lucky to work with you.

C

| 보기 | 종교적인 달아나다 고대의 숨다

Derinkuyu was an ancient underground city in Turkey. Up to 50,000 people once lived there to hide from the government or escape mistreatment. Today it is a popular tourist attraction.

Unit 06

21 A Country from Africa

A

1 흐르다
2 지역의, 지방의
3 ~에서 오다
4 행사, 사건
5 해안, 해변
6 수도
7 official language
8 colony
9 calendar
10 seasonal
11 desert
12 land

B

1 Both my brother and my sister got up late in the morning.
2 Julie drank three fourths of the orange juice.
3 She used to play tennis every morning.

C

| 보기 | 식민지 공식적인 해안 이름

Morocco sits between Spain and Algeria and has coasts on the Mediterranean and Atlantic. Its official languages are Arabic and Berber though some learn French. The name Morocco comes from the Latin Marrakesh meaning "Land of God."

22 People of the North

A

1 지역, 지방
2 더 이상 ~이 아닌
3 정착, 정착지
4 주요 식품, 주요 산물
5 현대의
6 지역, 지방
7 development
8 attend
9 steady
10 permanent
11 hunt for
12 transportation

B

1 Jason will travel from Boston to California.
2 She has worked at a school since last week.
3 I saw children building[build] a sandcastle on the beach.

C

| 보기 | 살다 교통 끌다 이동하다

The Inuit live in the Arctic areas of Canada, Greenland, and Alaska. They hunt sea creatures and travel by dog sleds. Modern transportation has brought schools and hospitals to them.

23 A Modern Day Treasure Hunter

A

1 공예품
2 난파선, 난파
3 말하다, 서술하다
4 기술
5 위성
6 자금을 대다
7 professional
8 discovery
9 treasure
10 danger
11 recovery
12 pioneer

B

1 He spends much time playing computer games.
2 One of the most popular movies is *Harry Potter*.
3 I have a lot of homework to do.

C

| 보기 | 금 보물 위치하다 자금을 대다

Greg Stemm hunts for treasure in ship wrecks in the deep ocean. He uses sonar and satellite to locate the ships. Recently he found a 200–year–old Spanish ship with $500 million in gold and silver.

24 Abnormal Cells

A

1 외과 수술
2 증상
3 퍼지다
4 성장
5 세포
6 ~을 치료하다
7 treatment
8 oxygen
9 genetic
10 nutrient
11 vary
12 solid

B

1 There are many people in front of the bank.
2 A girl with long hair is waiting for a bus.
3 I made my sister clean her room.

C

| 보기 | 유전의 고체의 걷잡을 수 없게 제거하다

There are cancers of the breast, the skin, the lungs, and more. The immune system usually removes abnormal cells, but some cancer cells can hide from it. Cancer cells start from genetic changes which make them grow uncontrollably.

Unit 07

25 Magnetic World

A

1	믿을 수 있는	7	core
2	구리	8	material
3	보호하다, 지키다	9	affect
4	자연의	10	theory
5	금속	11	surround
6	발견하다	12	attract

B

1 This newspaper is read by many people.
2 It has bright colors such as green and yellow.
3 Sunglasses protect our eyes from sunlight.

C

| 보기 | ~을 끌다 이름 지어진 천연의 태양

Magnets could have been named for the city Magnesia in Turkey. They produce magnetic fields which attract or push away certain metals. The Earth is a giant magnet which pushes away solar radiation.

26 First to the Pole

A

1	명성, 평판	7	unfortunately
2	주장하다	8	expedition
3	거절하다, 거부하다	9	friendship
4	모험, 모험심	10	victory
5	외부의, 밖의	11	accuse A of B
6	발표하다, 알리다	12	support

B

1 I have many books to read today.
2 He is going to New York to learn English.
3 She promised to take care of her sister.

C

| 보기 | 거절했다 거짓말 발표했다 주장했다

Robert Peary and Frederick Cook competed to get to the North Pole first. Peary announced his trip in newspapers but Cook did not. Each claimed to have reached the North Pole but each accused the other of lying.

27 Penguins

A

1	섬	7	feed on
2	(키가) ~이다	8	weigh
3	황제	9	blend in
4	바닥	10	frozen
5	다른, 별개의	11	hemisphere
6	어울리다	12	species

B

1 The museum was built by a famous architect.
2 She is the tallest in my class.
3 This camera is more expensive than that one.

C

| 보기 | 종 바닥 다른 추운

Penguins have a black back to match the ocean floor and a white belly to match the upper ocean. The twenty species of penguin all live in the southern hemisphere but not always in cold places. The biggest are the Emperor Penguin and the smallest are the Fairy Penguin.

28 Mobile Schools

A

1	마을, 촌락	7	instead
2	돌진하다, 돌격하다	8	learn
3	기쁘게	9	lucky
4	짓다, 세우다	10	electricity
5	바라다, 기원하다	11	arrive
6	의미하다	12	complain

B

1 I was sad to hear the news.
2 Jessica went to the bookstore to buy a book.
3 We can't go out because of the cold weather.

C

| 보기 | 교육하다 돌진하다 100만 말들

A mobile school is a cheap way to educate many people. It could be in a boat or a bus or even on horses. Mobile schools educate over one million children in Bangladesh.

Unit 08

29 Finding Refuge

A

1 정치의
2 지역, 지방
3 경계, 경계선
4 차별, 차별 대우
5 수치, 숫자
6 구분
7 racial
8 tolerant
9 genocide
10 throughout
11 migrate
12 persecution

B

1 There are beautiful flowers in the garden.
2 You have to wash your hands before eating.
3 Wednesday is between Tuesday and Thursday.

C

| 보기 | 끝 이주하다 경계 달아났다

Refugees migrate to find a better place to live or to escape discrimination. Millions of refugees fled communism in Russia and China. The division of India and Pakistan and the end of the Cold War also made millions of refugees.

30 Magical Books

A

1 예약하다
2 성공한, 성공적인
3 결국, 마침내
4 출판사
5 (책 등을) 출간하다
6 판매하는
7 wealth
8 certain
9 a huge amount of
10 alive
11 pay one's bill
12 writer

B

1 Kelly wants to go to the zoo.
2 One of the fastest animals is a cheetah.
3 She started learning[to learn] English after school.

C

| 보기 | 팔다 출판하다 성공한 인기 있는

The author of Harry Potter is successful now but started out poor. Some publishers told J. K. Rowling that her books won't sell much. Eventually the books became popular and Rowling is rich and famous.

31 Orienteering

A

1 ~에 가다, 닿다
2 (위치를) 알아내다, 찾아내다
3 나침반
4 길을 찾다
5 군대의, 군사의
6 목적, 목표
7 competitive
8 route
9 destination
10 equipment
11 civilian
12 primarily

B

1 This delicious food was made by my sister.
2 Andy enjoys watching movies on weekends.
3 I have to get up early tomorrow morning.

C

| 보기 | 민간의 운동 군사의 항해하는

Orienteering means navigating a forest using a map and compass. It was originally a military training exercise. But it became a sport in Sweden and now elsewhere.

32 Hovering Birds

A

1 노력, 수고
2 ~와 다른
3 옆으로
4 (날개를) 퍼덕이다
5 기후
6 꽃이 피다
7 hover
8 midair
9 migrate
10 forward
11 prefer
12 approximately

B

1 Tyler rides his bike every day to stay healthy.
2 I am as tall as my brother.
3 The blue whale is the biggest animal in the world.

C

| 보기 | 헬리콥터 (꽃의) 꿀 방향 노력

Hummingbirds fly more like an insect or a helicopter than a bird. They can fly in any direction and even stop and hover. They mostly eat the nectar of certain flowers.

Unit 09

33 Tracks in Antarctica

A

1	죽은	9	disappointed
2	입증하다, 증명하다	8	set out
3	얼다	9	recognize
4	기록하다, 표시하다	10	journey
5	이끌다	11	celebration
6	보급품	12	clearly

B

1 He set out for Paris to visit his mother.
2 Ron always walks to school.
3 I have two apples. One is red and the other is green.

C

| 보기 | 입증하다 돌아왔다 보급품들 ~에 닿다

Two groups attempted to reach the South Pole in Antarctica in 1911. One led by Roald Amundsen of Norway succeeded and returned home. But the other group led by Robert Falcon Scott of England ran out of supplies and froze to death.

34 Finding Your Way

A

1	기록하다, 적어두다	7	appear
2	방향	8	notice
3	가로지르다, 횡단하다	9	hang
4	실	10	difference
5	탐험	11	trade
6	~을 가리키다	12	toward

B

1 My mother made me wash the dishes.
2 The French have strict table manners.
3 The electric car was invented in the 19th century.

C

| 보기 | 알아차렸다 자기(성)의 나쁜 나타났다

The compass for use on ships came from China and only later appeared in the Mediterranean. Ship compasses allowed trade even during bad weather conditions. Compasses point to the magnetic North Pole, not the real North Pole.

35 The Great Wall

A

1	사라지다	7	invasion
2	힘든, 고된	8	attractive
3	보호하다	9	severely
4	뻗다, ~에 이르다	10	construction
5	불가사의한 것	11	divide into
6	명령하다, 지시하다	12	criminal

B

1 I'll finish the project during the weekend.
2 Eric was late for the meeting due to a traffic jam.
3 Her book was stolen in the classroom.

C

| 보기 | 인공의 지어진 뻗어 있다 침략

The Great Wall of China is the world's longest man-made structure. The original wall was built to protect against invasions from the north. Today's Great Wall was mostly built later during the Ming Dynasty.

36 Yohannes Gebregeorgis

A

1	시골의	7	additional
2	~을 깨닫다	8	merchant
3	문학	9	passion
4	(~으로) 여기다, 생각하다	10	nation
5	가치	11	illiterate
6	모국의	12	organization

B

1 Alex couldn't go out because it was dark outside.
2 I am called Princess by my parents.
3 My daughter showed me her favorite toy.

C

| 보기 | 열다 도서관 독서 학위

Yohannes Gebregeorgis is a hero for bringing reading to his native Ethiopia. He studied library science in the US and worked in a San Francisco library. In 2002, he returned to Ethiopia to open libraries in the capital.

Unit 10

37 Being Over-sensitive

A

1	재채기하다	7	itchy
2	곰팡이	8	reaction
3	해롭지 않은	9	swallow
4	치료, 처치	10	breathe
5	방출하다	11	substance
6	항체	12	dust

B

1 His sister is smart enough to solve the problem.
2 She has never seen such a great place.
3 He made me sign up for a yoga class.

C

| 보기 | 해롭지 않은 | 가려운 | 증상들 | 예들

An allergen is a harmless substance which causes allergic reactions in some people. Some examples are pollen, medicines, or food items, such as peanuts. Symptoms of an allergic reaction include rashes, vomiting, or even trouble breathing.

38 Flying on a Skateboard

A

1	묘기, 재주	7	professional
2	시도	8	successfully
3	유명한	9	necessary
4	바퀴	10	land
5	발목	11	hold a world record
6	뛰어넘다	12	reach one's goal

B

1 The light bulb was invented by Edison for the first time.
2 It'll take you about 30 minutes to wash the dog.
3 Some of these computers were fixed by my uncle.

C

| 보기 | 착륙하다 | 보유하다 | 묘기들 | 기록들

You can use a skateboard for doing a few cool tricks. But Danny Way is a professional skateboarder with many world records. He holds the record for the highest air jump and the longest jump.

39 Angkor Wat

A

1	통치하다, 지배하다	7	empire
2	점령하다, 점거하다	8	temple
3	수도	9	peninsula
4	탐험가	10	flock
5	복구하다, 재건하다	11	pray
6	숭배하다, 예배하다	12	protection

B

1 The castle was built between 1850 and 1854.
2 The Statue of Liberty is a symbol of freedom.
3 Since the party, she has been interested in dancing.

C

| 보기 | 단지 | 붕괴 | 고대의 | 수도

Angkor Wat was built in the ancient city of Angkor. This was the capital of the Khmer Empire in present-day Cambodia. The Angkor Wat temple was forgotten after the fall of the Khmer Empire until 1860.

40 The Aborigines of Australia

A

1	고고학자	7	superior to
2	감소하다	8	continent
3	인구	9	custom
4	신념	10	discrimination
5	사과하다	11	indigenous
6	퍼지다	12	throughout

B

1 His essay is superior to mine.
2 When I have free time, I usually read books.
3 Simon ran fast to catch the train.

C

| 보기 | 파괴하다 | 감소하다 | 전통적인 | 대륙

The Aborigines of Australia came to the continent over 40,000 years ago. Europeans arriving in the 1800s began to destroy their population and culture. Today they continue to fight for their traditional way of life.

THIS IS READING

전면 개정판

중등부터 고등까지 모든 독해의 확실한 해결책 !

★ 실생활부터 전문적인 학술 분야까지 **다양한 소재의 지문 수록**

★ 서술형 내신 대비까지 제대로 준비하는 **문법 포인트 정리**

★ 지문 이해 확인 또 확인, **본문 연습 문제 + Review Test**

★ 정확하고도 빠른 지문 읽기 **직독직해 연습**

★ 원어민의 발음으로 듣는 전체 **지문 MP3** (QR 코드 & www.nexusbook.com)

★ 확실한 마무리 3단 콤보 **WORKBOOK**

MP3 바로가기

	초1	초2	초3	초4	초5	초6	중1	중2	중3	고1	고2	고3
Writing				공감 영문법+쓰기 1~2								
Writing						도전만점 중등내신 서술형 1~4						
Writing				영어일기 영작패턴 1-A, B · 2-A, B								
Writing				Smart Writing 1~2								
Reading					Reading 101 1~3							
Reading					Reading 공감 1~3							
Reading					This Is Reading Starter 1~3							
Reading						This Is Reading 전면 개정판 1~4						
Reading						원서 술술 읽는 Smart Reading Basic 1~2						
Reading									원서 술술 읽는 Smart Reading 1~2			
Reading									[특급 단기 특강] 구문독해 · 독해유형			
Reading										[앱솔루트 수능대비 영어독해 기출분석] 2019~2021학년도		
Listening						Listening 공감 1~3						
Listening					The Listening 1~4							
Listening						넥서스 중학 영어듣기 모의고사 25회 1~3						
Listening						도전! 만점 중학 영어듣기 모의고사 1~3						
Listening									만점 적중 수능 듣기 모의고사 20회 · 35회			
TEPS					NEW TEPS 입문편 실전 250⁺ 청해 · 문법 · 독해							
TEPS						NEW TEPS 기본편 실전 300⁺ 청해 · 문법 · 독해						
TEPS							NEW TEPS 실력편 실전 400⁺ 청해 · 문법 · 독해					
TEPS								NEW TEPS 마스터편 실전 500⁺ 청해 · 문법 · 독해				